Michèle Boularès
Odile Grand-Clément

Conjugaison
PROGRESSIVE
DU Français

avec 400 exercices

CLE
INTERNATIONAL

Direction éditoriale : Michèle Grandmangin
Édition : Christine Grall
Mise en pages : Télémaque

© CLE International / HER, 2000-ISBN : 209-033881-4
© CLE International / SEJER - 2004

AVANT-PROPOS

La ***Conjugaison progressive du français*** s'adresse à des élèves et des étudiants de tous niveaux car tous les modes et temps les plus utilisés en français y sont présentés. Le passé simple et le passé antérieur y figurent également en raison de leur utilité en situations d'écrit.

C'est un **ouvrage d'apprentissage** des formes verbales, les exercices des pages de droite permettant un entraînement à partir des modèles présentés sur les pages de gauche.

C'est également un **outil de référence** car deux index situés à la fin du livre permettent la recherche d'un verbe à l'intérieur de l'ouvrage.

Pour faciliter l'apprentissage de la morphologie verbale, nous avons opté pour une approche par **radicaux**.
Exemple : *partir* est un verbe à deux radicaux **PAR** et **PART**.
Chaque temps se forme à partir d'un radical auquel on ajoute des terminaisons.

Les verbes sont présentés par modes et par temps.
Les temps simples sont suivis des temps composés qui leur correspondent à l'exception de l'imparfait qui apparaît après le présent, sa morphologie étant facile à acquérir après l'étude du présent.

Dans cet ouvrage, les verbes sont classés d'après leur infinitif : *-ER* (verbes du 1er groupe), *-IR* (verbes du 2e et du 3e groupe) et *-RE* et *-OIR* (verbes du 3e groupe).

Les auxiliaires *être* et *avoir* et les semi-auxiliaires (*aller, venir, faire, pouvoir, vouloir, devoir, falloir* et *savoir*) apparaissent au début du livre, notamment pour le présent de l'indicatif, en raison de leur particularité morphologique et de leur usage fréquent.

La conjugaison des verbes modèles est accompagnée de celle d'un verbe pronominal du même type (exemple : *recevoir, s'apercevoir*).
Le choix des verbes modèles a été fait principalement en fonction de leur usage. Néanmoins, nous avons dû présenter des verbes moins courants car ils offrent des difficultés morphologiques particulières (exemple : les verbes *résoudre, convaincre* ou *interrompre*).

Structure de l'ouvrage

La page de gauche présente :
- la règle de formation de chaque temps ;
- les verbes types accompagnés d'une liste de verbes conjugués sur le même modèle ;
- des remarques phonétiques ou orthographiques ;
- des mises en garde attirant l'attention sur une difficulté particulière.

La page de droite propose entre 4 et 6 exercices de difficulté progressive. Les premiers sont des exercices d'apprentissage simples. Les autres sont plus ouverts et présentent plus de difficultés. D'autres, enfin, se présentent sous la forme d'activités et sont plus créatifs.

Le vocabulaire est simple dans les premiers exercices et se complexifie dans les derniers, notamment lorsqu'il s'agit de textes authentiques.

Deux bilans – un après l'indicatif et un après le conditionnel et le subjonctif – permettent révisions et évaluation des connaissances.

Les auteurs

SOMMAIRE

* Aller, venir, faire, pouvoir, vouloir, devoir, falloir, savoir.

LE PRÉSENT DE L'INDICATIF

Le verbe *ÊTRE*

CONJUGAISON

je	**suis**
tu	**es**
il/elle	**est**
nous	**sommes**
vous	**êtes**
ils/elles	**sont**

♪ La liaison est obligatoire dans **vous êtes** et dans la forme familière **on est**.
[z]   [n]

EMPLOIS

- **Être** indique l'**état**, l'**heure** :
    *Il **est** français. Je **suis** avocat. Elle **est** grande.*
    *Tu **es** en colère ? **Êtes**-vous malade ?*
    *Ils **sont** en retard. Elle n'**est** pas à l'heure.*
    *Il **est** huit heures. Quelle heure **est**-il ?*

- **Être** peut être **auxiliaire** : il sert à construire les **temps composés** (voir chapitre 3, « Le passé composé », p. 74).

CONSTRUCTIONS PARTICULIÈRES

C'est, **ce sont** sont utilisés pour **présenter** quelque chose ou quelqu'un :
    ***C'est** ma voiture. **Ce sont** des oranges d'Espagne.*
    ***C'est** un ami. **Ce sont** mes enfants.*
    *Ce ne **sont** pas des légumes, **ce sont** des fruits.*

1 Trouvez le pronom qui convient puis mettez à la forme négative selon le modèle.

1. *Tu* es alsacien.　　　　　　　*Tu n'es pas alsacien.*

2. _____ est traducteur.　　　　_____

3. _____ êtes musicien.　　　　_____

4. _____ sont en voyage.　　　　_____

5. _____ sommes en forme.　　　_____

6. _____ suis triste.　　　　　　_____

2 Conjuguez « être » au présent selon le modèle.

1. Elle *est* française.

2. Je _____ étudiant.

3. Ils _____ au cinéma.

4. Tu _____ sportif ?

5. On _____ à la maison.

6. Vous _____ libres, ce soir ?

7. Il _____ midi et quart.

8. Nous _____ très contents.

9. Elles _____ en retard.

10. Vous _____ pressés ?

3 Reliez les éléments proposés pour faire des phrases avec « être » au présent selon le modèle.

1. Mathilde et son frère　*sont*　　　　　　**a.** informaticien.

2. Je　　_____　　**b.** grand et mince.

3. Léa, vous…　_____　　**c.** en colère.

4. Oriane et moi　_____　　**d.** américain.

5. Tu　　_____　　**e.** magnifiques.

6. Mathew　_____　　**f.** mariés.

7. Marie　　_____　　**g.** italienne, n'est-ce pas ?

8. Ces roses　_____　　**h.** blonde et petite.

4 Complétez avec « c'est » ou « ce sont » au présent puis mettez à la forme négative selon le modèle.

1. *C'est* un bel hôtel.　　　　　*Ce n'est pas un bel hôtel.*

2. _____ de très bons amis.　　_____

3. _____ un film magnifique.　_____

4. _____ nos correspondants espagnols.　_____

5. _____ mon professeur de français.　_____

6. _____ des fraises du Périgord.　_____

5 Dans une lettre à votre correspondant, donnez des informations sur vous et votre famille en utilisant le verbe « être ».

Le verbe *AVOIR*

CONJUGAISON

j'	**ai**
tu	**as**
il/elle	**a**
nous	**avons**
vous	**avez**
ils/elles	**ont**

♪ La liaison est obligatoire dans **nous avons**, **vous avez**, **ils ont** et **elles ont**.
    [z]   [z]   [z]   [z]

♪ Ne confondez pas **ils ont** / **ils sont** – **elles ont** / **elles sont**.
        [z]   [s]   [z]   [s]

♪ **Je** devient **J'** devant la voyelle **a**.

EMPLOIS

- **Avoir** exprime la **possession** :
    *Il **a** un petit chien. Elle **a** une voiture. Ils **ont** beaucoup d'amis.*

- **Avoir** exprime les **particularités** physiques et morales et les **sensations** :
    *Elle **a** les yeux noirs. Il **a** les cheveux bruns. J'**ai** 20 ans.*
    *Tu **as** bon caractère. Elle **a** un grand cœur.*
    *Vous **avez** soif / faim ? J'**ai** chaud. Elle **a** peur. J'**ai** mal à la tête.*

- **Avoir** est utilisé dans beaucoup d'**expressions idiomatiques** :
    avoir tort, avoir raison, avoir de la chance, avoir l'air, avoir envie,
    avoir besoin…

- **Avoir** peut être **auxiliaire** : il sert à construire les **temps composés** (voir chapitre 3, « Le passé composé », p. 60).

CONSTRUCTIONS PARTICULIÈRES

- **Il y a** + nom singulier ou pluriel :
    *Il **y a** du lait. Il **y a** des œufs. Il **y a** des enfants.*

⚠ Forme interrogative : **Est-ce qu'il y a… ? Y a-t-il… ?**
Forme négative : **Il n'y a pas…**

1 **Trouvez le pronom qui convient.**

1. _____ avons froid.

2. _____ ai raison.

3. _____ avez un chat ?

4. _____ as des lunettes de soleil.

5. _____ a deux filles et un garçon.

6. _____ ont une voiture et un vélo.

2 **Conjuguez « avoir » au présent selon le modèle.**

1. J'*ai* trois sœurs et un frère.

2. Nous _____ des problèmes.

3. Vous _____ un jardin ?

4. Ils _____ beaucoup de valises.

5. Tu _____ des disques de jazz ?

6. Il _____ un piano chez lui.

7. Elles _____ du travail.

8. Elle n'_____ pas de dictionnaire.

9. Vous n'_____ pas un stylo ?

10. Ils n'_____ pas le temps.

11. Tu n'_____ pas de voiture.

12. Je n'_____ pas de patience.

13. Nous n'_____ pas de vacances.

14. Elles n'_____ pas d'amis.

3 **Conjuguez avec les expressions proposées.**

avoir faim – avoir l'heure – ne pas avoir peur – avoir l'air malade – avoir 20 ans – ne pas avoir le temps – avoir sommeil – ne pas avoir envie de sortir

1. C'est leur anniversaire : ils _____

2. Christine reste ici : elle _____

3. Il est midi : je _____

4. Il est tard : le bébé _____

5. Tu es courageux : tu _____

6. Nous sommes pressées : nous _____

7. Ton amie est pâle : elle _____

8. Ma montre est arrêtée : vous _____ ?

4 **Donnez des informations sur votre meilleur(e) ami(e).**

Elle a 30 ans, elle a bon caractère... _____

_____

5 **Utilisez « il y a » pour décrire votre chambre.**

Dans ma chambre, il y a..., il n'y a pas... _____

6 **Utilisez « être » et « avoir » au présent pour découvrir ces portraits.**

Claire _____ vingt ans. Elle _____ étudiante à la faculté des Lettres. C'_____ une fille sympathique. Elle _____ grande, elle _____ des cheveux blonds et des yeux noirs. Elle _____ bon caractère et elle _____ toujours gaie. Elle _____ beaucoup d'amis.

Mes voisins _____ espagnols. Ils _____ deux enfants. Ce _____ des gens serviables. La fille _____ 10 ans et le garçon _____ 6 ans. Ils _____ très généreux. Les enfants _____ amusants. Ce _____ des passionnés de jeux vidéo. Le père _____ sportif ; c'_____ un champion de tennis. Il _____ aussi musicien.

Les verbes *semi-auxiliaires*

Ces verbes, très courants en français, peuvent être utilisés **seuls** ou **suivis d'un infinitif**. Dans ce dernier cas, ils expriment une **nuance particulière**. Ce sont des verbes outils, des semi-auxiliaires.

ALLER

je	**vais**
tu	**vas**
il/elle	**va**
nous	**allons**
vous	**allez**
ils/elles	**vont**

S'EN ALLER

je	m'en	vais
tu	t'en	vas
il/elle	s'en	va
nous	nous en	allons
vous	vous en	allez
ils/elles	s'en	vont

♪ La liaison est obligatoire dans **nous allons**, **vous allez**.
　　　　　　　　　　　　　　　　　　　[z]　　　　　[z]

■ **Aller + infinitif** exprime un **futur proche** :
> *Attendez ici, elle va revenir.*

VENIR

je	**viens**
tu	**viens**
il/elle	**vient**
nous	**venons**
vous	**venez**
ils/elles	**viennent**

Et :
– tenir (voir p. 28) ;
– se souvenir (voir p. 28).

■ **Venir de + infinitif** exprime un **passé récent** :
> *Christian n'est pas là, il vient de sortir.*

FAIRE

je	**fais**
tu	**fais**
il/elle	**fait**
nous	**faisons**
vous	**faites**
ils/elles	**font**

Et :
défaire, refaire, satisfaire…

■ **Faire + infinitif** : le sujet de **faire** n'est pas le sujet de l'infinitif :
> *Elle fait dîner les enfants : les enfants dînent.*

1 Conjuguez « aller » au présent.

1. Ils _____ au cinéma.

2. Est-ce que tu _____ bien ?

3. Je ne _____ pas à l'Opéra.

4. Jean et moi _____ à la piscine.

5. Il _____ à Londres en avion.

6. Vous _____ au bureau à pied ?

7. On _____ au restaurant.

8. Elles _____ chez des amis.

2 Utilisez le verbe « venir » au présent pour relier les éléments selon le modèle.

1. Vous êtes mexicain. *Vous venez de* a. Berlin ?

2. Natacha est suédoise. _____ b. Los Angeles.

3. Alberto est italien. _____ c. Dakar.

4. Tu es allemande. _____ d. Florence.

5. Nous sommes espagnols. _____ e. Madrid.

6. Jacky et Brandon sont américains. _____ f. Stockholm.

7. Je suis sénégalais. _____ g. Mexico ?

3 Complétez avec « venir » au présent, puis choisissez une réponse et faites une phrase selon le modèle.

1. Qui *vient* à la fête ? a. de la banque _____

2. Comment est-ce que vous _____ ? b. en voiture _____

3. D'où est-ce que tu _____ ? c. du Brésil _____

4. Quand est-ce qu'elle _____ ? d. tous les élèves *Tous les élèves viennent à la fête.*

5. D'où _____ ces fruits ? e. à midi _____

4 Utilisez « faire » au présent pour décrire les occupations de la famille.

Qu'est ce que vous _____ ?

Je _____ la vaisselle.

Marie _____ ses maths.

Arnaud _____ de la guitare.

Grand-mère _____ des mots croisés.

Les garçons _____ du bruit.

Bref, nous _____ tous quelque chose.

5 Complétez avec « être », « aller », « venir » et « faire » au présent, puis continuez le texte.

Nous _____ à la montagne en février. Les enfants _____ contents de skier. Ils _____ du ski et ils _____ en forme. Les produits frais _____ de la ferme. En été je _____

_____

POUVOIR   et   VOULOIR

je	**peux**		je	**veux**
tu	**peux**		tu	**veux**
il/elle	**peut**		il/elle	**veut**
nous	**pouvons**		nous	**voulons**
vous	**pouvez**		vous	**voulez**
ils/elles	**peuvent**		ils/elles	**veulent**

■ **Pouvoir + infinitif**

• Il exprime la **capacité** physique et intellectuelle :

*Il **peut** nager seul. – Elle **peut** parler trois langues.*

• Il exprime la **permission** :

*Est-ce que je **peux** ouvrir la fenêtre ?*

■ **Vouloir + infinitif** exprime la **volonté**, le **souhait** :

*– Est-ce que vous **voulez** boire quelque chose ? – Oui, je **veux** bien un café.*

DEVOIR   et   FALLOIR

je	**dois**		
tu	**dois**		
il/elle	**doit**	il **faut**	
nous	**devons**		
vous	**devez**	⚠ **Falloir** ne se conjugue qu'à
ils/elles	**doivent**	la 3ᵉ personne du singulier.

■ **Devoir + infinitif**

• Il exprime l'**obligation**, la **nécessité** :   • Il exprime la **probabilité** :

    *Nous **devons** aller à la banque.*   *Elle **doit** être malade.*

■ **Il faut + infinitif** exprime l'**obligation**, la **nécessité** :

*Il **faut** tourner à gauche. Il **faut** du courage.*

SAVOIR

je	**sais**
tu	**sais**
il/elle	**sait**
nous	**savons**
vous	**savez**
ils/elles	**savent**

⚠ Ne confondez pas :

nous avons / nous savons
   [z]   [s]

vous avez / vous savez
   [z]   [s]

■ **Savoir + infinitif** exprime une **capacité** physique et intellectuelle :

*Elle **sait** lire, elle **sait** conduire. – Il **sait** où elle habite.*

1 Reliez les éléments de chaque colonne en conjuguant « pouvoir » au présent selon le modèle.

1. J'ai beaucoup de travail.

2. Tu viens avec nous ?

3. Ses parents sont d'accord.

4. Ils sont libres ce soir.

5. Nous sommes en avance.

6. Je vais au bureau en métro.

a. Ils _____ venir au concert.

b. Je ne _____ pas sortir, je suis malade.

c. Vous _____ prendre ma voiture.

d. Est-ce que nous _____ commencer ?

e. Elle _____ rester jusqu'à minuit.

f. Tu *peux* m'aider ?

2 Complétez avec « vouloir » au présent, puis répondez librement avec « vouloir ».

1. – Tu _____ venir à la plage ?
– _____

2. – Ils ne _____ pas sortir ?
– _____

3. – Elle ne _____ pas prendre le métro ?
– _____

4. – Qu'est-ce que vous _____ faire ?
– _____

3 Complétez le dialogue avec « pouvoir » et « vouloir » au présent.

– Qu'est-ce que vous _____ faire ce soir ?   *vouloir*

– Nous _____ aller au restaurant.   *vouloir*

– On _____ aller à la Corniche, si vous _____ ?   *pouvoir – vouloir*

– Est-ce qu'on _____ avoir un menu pas cher dans ce restaurant ?   *pouvoir*

– On _____ dîner pour 80 F sans le vin.   *pouvoir*

– Eh bien moi, je suis d'accord. Je _____ bien aller à la Corniche.   *vouloir*

– Est-ce que je _____ manger du poisson dans ce restaurant ?   *pouvoir*

– Oui, bien sûr, tu _____ manger du poisson si tu _____ .   *pouvoir – vouloir*

4 Utilisez « devoir » et « falloir » au présent comme dans le modèle.

Avoir un visa → On *doit avoir un visa. Il faut avoir un visa.*

1. Changer de train   →   Vous _____

2. Prendre rendez-vous   →   Tu _____

3. Préparer le repas   →   Je _____

4. Sortir tôt   →   Nous _____

5. Faire des courses   →   On _____

5 Utilisez « savoir » au présent suivi d'un infinitif.

Dans ma famille, tout le monde sait tout faire : mes parents _____ ; mon frère aîné _____ ; mes jeunes sœurs _____ et moi, je _____ .

Les verbes en -ER, dits du 1er groupe

- Le présent se forme avec le **radical** du verbe auquel on ajoute les **terminaisons -e, -es, -e, -ons, -ez, -ent**.
- Pour trouver le radical, il faut supprimer la terminaison de l'infinitif.

Exemple : **PARL** -ER

        radical terminaison

VERBES À UN RADICAL

■ PARLER (parl-er)

je	parle
tu	parles
il/elle	parle
nous	parlons
vous	parlez
ils/elles	parlent

♪ La finale est muette avec *je, tu, il, elle, ils, elles*, c'est-à-dire qu'on ne prononce que le radical :

    je parle, tu parles, il parle, ils parlent.

♪ La finale est sonore avec *nous* et *vous*, c'est-à-dire qu'on prononce le radical + la terminaison :

    nous parl<u>ons</u>, vous parl<u>ez</u>.

♪ **Je** devient **J'** devant une voyelle ou un « h » muet :

    J'aime. J'habite. J'apporte. J'arrive.

♪ Avec **nous** et **vous**, **ils** et **elles**, il faut faire la liaison devant une voyelle ou un « h » muet :

    Nous aimons. Vous étudiez. Ils habitent. Elles arrivent.
      [z]   [z]   [z]   [z]

■ SE DÉPÊCHER (se dépêch-er)

je	me	dépêche
tu	te	dépêches
il/elle	se	dépêche
nous	nous	dépêchons
vous	vous	dépêchez
ils/elles	se	dépêchent

♪ Les pronoms **me, te, se** deviennent **m', t', s'** devant une voyelle ou un « h » muet :

    *Je **m'**habille. Tu **t'**arrêtes. Elle **s'**appelle Marie.*

1 Conjuguez au présent.

1. *rentrer* Tu _____ tard.

2. *habiter* Ils _____ à Tokyo.

3. *aimer* Je ne _____ pas la ville.

4. *dîner* Vous _____ avec nous ?

5. *se laver* Elle _____ les cheveux.

6. *passer* On _____ nos vacances ici.

7. *pleurer* Elles _____ souvent.

8. *aider* Nous _____ les petits.

9. *s'occuper* Il _____ du repas.

10. *regarder* Ils _____ la télévision.

2 Complétez au présent avec des verbes choisis dans la liste.

aimer – fumer – participer – se coucher – s'entraîner – pratiquer – s'intéresser – consommer – adorer

Mon jeune frère Julien _____ le sport. Lui et ses amis _____ le tennis tous les samedis. Julien _____ au marathon de notre ville tous les ans. Mon frère aîné Virgile _____ surtout au basket-ball et il _____ un jour sur deux. Je _____ aller au stade avec lui.

Mes frères ne _____ pas d'alcool ; ils _____ tôt et ne _____ jamais.

3 Choisissez des verbes dans la liste et conjuguez-les au présent pour parler de vos habitudes et des habitudes de votre famille et de vos amis.

Vous :

Le lundi, je _____ et _____

Le samedi, je _____ et _____

Le dimanche, je _____ et _____

Vos parents : ils _____ et _____

_____

Vous et vos amis : nous _____ et _____

_____

aimer – se réveiller – arriver

s'amuser – bavarder – danser

déjeuner – dîner – dessiner

se dépêcher – écouter – s'habiller

inviter – se rencontrer – passer – préparer

rentrer – rester – se reposer

regarder– téléphoner – organiser

4 Mettez les verbes au présent.

Je _____ (*rêver*) d'habiter sur une île où la nature _____ (*donner*) des fruits délicieux. Là les hommes _____ (*respirer*) l'odeur de la mer. Je _____ (*contempler*) l'infini de l'azur. Là, les fleurs _____ (*mêler*) leurs parfums. Et sur ces rivages heureux, mon âme _____ (*se reposer*).

5 Composez comme dans l'exercice 4 un petit poème en utilisant des verbes au présent.

_____

_____

VERBES DONT LE RADICAL SE TERMINE PAR *-I, -U, -OU, -É, -GN* OU *-ILL*

■ OUBLIER

j'	oublie
tu	oublies
il/elle	oublie
nous	oublions
vous	oubliez
ils/elles	oublient

Et : étudier, remercier, skier, apprécier, crier, prier…

♪ Prononcez bien le « i » du radical.
[i]

■ JOUER

je	joue
tu	joues
il/elle	joue
nous	jouons
vous	jouez
ils/elles	jouent

Et : louer, échouer, avouer…

♪ Prononcez bien le « ou » du radical.
[u]

■ GAGNER

je	gagne
tu	gagnes
il/elle	gagne
nous	gagnons
vous	gagnez
ils/elles	gagnent

Et : se baigner, enseigner, accompagner, se soigner…

♪ Prononcez bien le « gn » du radical.
[ɲ]

■ CONTINUER

je	continue
tu	continues
il/elle	continue
nous	continuons
vous	continuez
ils/elles	continuent

Et : tuer, s'habituer, distribuer, évaluer…

♪ Prononcez bien le « u » du radical.
[y]

■ CRÉER

je	crée
tu	crées
il/elle	crée
nous	créons
vous	créez
ils/elles	créent

♪ Prononcez bien le « é » du radical.
[e]

■ TRAVAILLER

je	travaille
tu	travailles
il/elle	travaille
nous	travaillons
vous	travaillez
ils/elles	travaillent

Et : se réveiller, s'habiller, briller, surveiller…

♪ Prononcez bien la voyelle avant le yod [j] : [tʀavaj].

1 Conjuguez au présent.

1. *étudier* tu _____
   il _____

2. *remercier* je _____
   nous _____

3. *tuer* je _____
   vous _____

4. *continuer* ils _____
   nous _____

5. *louer* tu _____
   nous _____

6. *avouer* ils _____
   on _____

7. *se baigner* je _____
   nous _____

8. *s'habiller* il _____
   nous _____

9. *se réveiller* tu _____
   on _____

10. *gaspiller* nous _____
   elles _____

11. *se soigner* vous _____
   il _____

12. *briller* elles _____
   il _____

2 Complétez au présent puis mettez la phrase à la 1re ou à la 2e personne du pluriel.

1. Le moniteur _____ les enfants. (*surveiller*) Nous _____
2. Mes amis _____ toujours. (*gagner*) Vous _____
3. Les touristes _____ l'hôtel. (*apprécier*) Vous _____
4. Il _____ sa maison en été. (*louer*) Nous _____
5. Cet enfant _____ beaucoup. (*crier*) Vous _____
6. Ils _____ aux cartes. (*jouer*) Nous _____
7. Elles _____ toujours tout. (*oublier*) Nous _____
8. Je _____ l'allemand. (*enseigner*) Nous _____
9. Elle _____ rapidement. (*s'habiller*) Vous _____
10. Tu _____ à cette nouvelle vie ? (*s'habituer*) Vous _____?

3 Trouvez un verbe qui convient et conjuguez-le au présent.

1. Un footballeur est quelqu'un qui _____ au football.
2. Un artiste est quelqu'un qui _____ des œuvres d'art.
3. Une infirmière est quelqu'un qui _____ les malades.
4. Un distrait est quelqu'un qui _____ tout.
5. Un étudiant est quelqu'un qui _____ à l'université.
6. Un locataire est une personne qui _____ un appartement.
7. Un millionnaire est quelqu'un qui _____ beaucoup d'argent.
8. Un gourmet est quelqu'un qui _____ la bonne cuisine.

VERBES DONT LE RADICAL SE MODIFIE

◼ COMMENCER

je	commence
tu	commences
il/elle	commence
nous	commençons
vous	commencez
ils/elles	commencent

Et :
lancer, recommencer, placer, déplacer, remplacer, percer, prononcer...

♪ Le « ç » (c cédille) devant « o » permet de garder la prononciation [s].

◼ MANGER

je	mange
tu	manges
il/elle	mange
nous	mangeons
vous	mangez
ils/elles	mangent

Et :
changer, nager, ranger, obliger, mélanger, loger, protéger, envisager, voyager...

♪ Le « e » devant « o » permet de garder la prononciation [ʒ].

VERBES À UN OU DEUX RADICAUX

◼ PAYER

un radical : pay

je	paye
tu	payes
il/elle	paye
nous	payons
vous	payez
ils/elles	payent

Et :
essayer, effrayer, balayer...

◼ PAYER

1er radical : pai
2e radical : pay

je	paie
tu	paies
il/elle	paie
nous	payons
vous	payez
ils/elles	paient

VERBES À DEUX RADICAUX

◼ APPELER

1er radical : appell
2e radical : appel

j'	appelle
tu	appelles
il/elle	appelle
nous	appelons
vous	appelez
ils/elles	appellent

Et :
(se) rappeler, s'appeler, épeler, ensorceler...

♪ Le « e » devant « ll » se prononce [ɛ].

◼ JETER

1er radical : jett
2e radical : jet

je	jette
tu	jettes
il/elle	jette
nous	jetons
vous	jetez
ils/elles	jettent

Et :
rejeter, projeter, feuilleter...

♪ Le « e » devant « tt » se prononce [ɛ].

◼ EMPLOYER

1er radical : emploi
2e radical : employ

j'	emploie
tu	emploies
il/elle	emploie
nous	employons
vous	employez
ils/elles	emploient

Et :
envoyer, (se) noyer, nettoyer...

◼ S'ENNUYER

1er radical : ennui
2e radical : ennuy

je	m'ennuie
tu	t'ennuies
il/elle	s'ennuie
nous	nous ennuyons
vous	vous ennuyez
ils/elles	s'ennuient

Et :
essuyer, appuyer

⚠ On remplace « y » par « i » devant « e » muet. Cette transformation n'est pas obligatoire pour « payer » et les autres verbes en « ayer ».

1 Conjuguez les verbes au présent.

1. *lancer* Je _____ le ballon.

Nous _____

Ils _____

2. *changer* Tu _____ d'avis.

Nous _____

Vous _____

3. *ranger* Nous _____ les affaires.

Je _____

Vous _____

4. *rejeter* Ils _____ la proposition.

Nous _____

Elle _____

5. *essayer* Vous _____ un manteau.

Je _____

Nous _____

6. *envoyer* Elle _____ des cartes postales.

Vous _____

Nous _____

2 Complétez ces mini-dialogues avec le verbe proposé au présent.

1. *S'APPELER*

– Comment tu _____ ?

– Je _____ Sylvie.

– Et vous, comment _____-vous ?

– Je _____ Paul.

2. *JETER*

– Tu _____ ces journaux ?

– Oui, je les _____ , ils sont vieux.

– Et ces papiers, vous les _____ ?

– Nous ne les _____ pas, nous en avons besoin.

3. *PAYER*

– Qui est-ce qui _____ ? Vous _____ ou je _____ ?

– Mais non, c'est lui qui _____ .

4. *ÉPELER*

– Comment _____-vous votre nom ?

– Je l'_____ B-A-U-D-R-I, mais il y a des gens qui l'_____ B-A-U-D-R-Y.

5. *VOYAGER*

– Vous _____ souvent ?

– Nous _____ deux fois par an, mais les enfants _____ plus que nous.

6. *NETTOYER*

– Vous _____ souvent la moquette ?

– Nous la _____ deux fois par an, mais la voisine la _____ tous les mois.

3 Trouvez le verbe qui convient et conjuguez-le au présent.

1. Un sorcier est quelqu'un qui _____ les gens.

2. Les patrons sont des gens qui _____ des salariés.

3. Un mauvais payeur est une personne qui _____ ses factures.

4. Les pigeons voyageurs sont des oiseaux qui _____ des messages.

◼ (SE) PROMENER

1er radical : *promèn*
2e radical : *promen*

je	(me) prom**è**nes
tu	(te) prom**è**nes
il/elle	(se) prom**è**ne
nous	(nous) promenons
vous	(vous) promenez
ils/elles	(se) prom**è**nent

Et :
amener,
emmener,
soulever, mener…

◼ (SE) LEVER

1er radical : *lèv*
2e radical : *lev*

je	(me) l**è**ve
tu	(te) l**è**ves
il/elle	(se) l**è**ve
nous	(nous) levons
vous	(vous) levez
ils/elles	(se) l**è**vent

Et :
enlever,
soulever,
achever.

◼ ACHETER

1er radical : *achèt*
2e radical : *achet*

j'	ach**è**te
tu	ach**è**tes
il/elle	ach**è**te
nous	achetons
vous	achetez
ils/elles	ach**è**tent

Et :
racheter…

◼ PESER

1er radical : *pès*
2e radical : *pes*

je	p**è**se
tu	p**è**ses
il/elle	p**è**se
nous	pesons
vous	pesez
ils/elles	p**è**sent

Et :
soupeser.

◼ CONGELER

1er radical : *congèl*
2e radical : *congel*

je	cong**è**le
tu	cong**è**les
il/elle	cong**è**le
nous	congelons
vous	congelez
ils/elles	cong**è**lent

Et :
geler, dégeler,
harceler, modeler,
peler…

◼ SEMER

1er radical : *sèm*
2e radical : *sem*

je	s**è**me
tu	s**è**mes
il/elle	s**è**me
nous	semons
vous	semez
ils/elles	s**è**ment

Et :
parsemer.

◼ ESPÉRER

1er radical : *espèr*
2e radical : *espér*

j'	esp**è**re
tu	esp**è**res
il/elle	esp**è**re
nous	espérons
vous	espérez
ils/elles	esp**è**rent

Et :
– compléter, s'inquiéter, interpréter, refléter, répéter…
– considérer, digérer, exagérer, gérer, libérer, préférer,
  suggérer, tolérer…
– décéder, posséder, succéder…
– célébrer, intégrer, pénétrer, protéger, régler, régner,
  révéler, sécher…

1 **Conjuguez au présent.**

1. Vous vous levez tôt.

Tu _____

Nous _____

2. Elle emmène les enfants.

Nous _____

Je _____

3. Nous achetons les billets.

Elle _____

Ils _____

4. Elle préfère sortir.

Nous _____

Ils _____

5. Je m'inquiète beaucoup.

Nous _____

Tu _____

6. Il répète toujours la même chose.

Vous _____

Tu _____

2 **Mettez un accent sur les verbes si nécessaire.**

1. Je digere mal.

2. Vous tolerez ça !

3. Nous esperons que tout va bien.

4. Vous enlevez votre manteau.

5. Il possede un bateau.

6. Il leve les yeux.

7. Elle pele les pommes.

8. Je décongele du pain.

9. Nous sechons le linge.

10. Vous rachetez une maison.

3 **Complétez avec les verbes proposés au présent et reliez les éléments selon le modèle.**

1. *racheter*   Elle *rachète*   **a.** une collection de timbres.

2. *exagérer*   Tu _____   **b.** les enfants du jardin.

3. *compléter*   Je _____   **c.** avoir une réponse bientôt.

4. *se lever*   Nous _____   **d.** ma vieille voiture.

5. *espérer*   Il _____   **e.** de bonne heure.

6. *ramener*   Elles _____   **f.** tout.

4 **Complétez ce texte avec les verbes proposés au présent.**

Quand le patron arrive le matin, il _____ (*enlever*) son manteau et il _____ (*répéter*) que la vie est dure. Il _____ (*se promener*) à travers l'étage où le silence _____ (*régner*). Il nous _____ (*obséder*) par sa mauvaise humeur. Puis il _____ (*pénétrer*) dans son bureau. Alors nous _____ (*s'inquiéter*) un peu à cause de sa nervosité qui _____ (*refléter*) son malaise. Nous lui _____ (*suggérer*) de prendre des vacances parce que nous _____ (*considérer*) qu'il en a besoin.

Les verbes en *-IR*, dits du 2e ou du 3e groupe

• Parmi ces verbes, on distingue les groupes suivants :
– les verbes caractérisés au présent par l'insertion de « **iss** » aux trois personnes du **pluriel** : ce sont les verbes dits du 2e groupe ;
– les autres verbes qui présentent **un radical**, **deux radicaux** (deux types) ou **trois radicaux** : ce sont les verbes dits du 3e groupe.

VERBES AVEC INSERTION DE *-ISS*

• Conjugaison : **radical + *-is, -is, -it, -iss-ons, -iss-ez, -iss-ent***

■ FINIR

je	finis
tu	finis
il/elle	finit
nous	finissons
vous	finissez
ils/elles	finissent

■ S'ENRICHIR

je	m'	enrichis
tu	t'	enrichis
il/elle	s'	enrichit
nous	nous	enrichissons
vous	vous	enrichissez
ils/elles	s'	enrichissent

• Ces verbes peuvent être tirés d'**adjectifs** :
blanc → blanchir – rouge → rougir – noir → noircir – jaune → jaunir
riche → s'enrichir – dur → durcir – gros → grossir – grand → grandir
clair → éclaircir...

• Ils peuvent aussi être tirés de **noms** :
choix → choisir – terre → atterrir...

■ HAÏR

je	hais
tu	hais
il/elle	hait
nous	haïssons
vous	haïssez
ils/elles	haïssent

♪ Notez bien la conjugaison de **haïr** qui n'a pas de tréma sur le « i » des trois personnes du singulier :
il hait [ɛ] / *nous haïssons* [aisõ].
Le verbe **haïr** présente un « h » aspiré, donc il n'y a pas d'élision ni de liaison :
je hais – nous haïssons.

1   Complétez au présent et conjuguez à la personne demandée.

1. Elle roug___ facilement. Elles _____ . Je _____ .

2. Tu chois___ ce pull ? Vous _____ ? Elles _____ ?

3. Je gross___ trop. Ils _____ . Vous _____ .

2   Complétez avec les verbes proposés au présent et reliez les éléments selon le modèle.

1. Les feuilles	**a.** *hais* l'hypocrisie.	*haïr*
2. Le vin rouge	**b.** _____ de chocolat.	*se nourrir*
3. Les enfants	**c.** _____ toujours trop tard.	*agir*
4. Elle	**d.** _____ toutes les semaines.	*se réunir*
5. L'équipe	**e.** _____ parce que c'est l'automne.	*jaunir*
6. Je	**f.** _____ bien.	*vieillir*

3   Complétez les phrases avec le verbe qui convient conjugué au présent à la personne demandée.

punir – réussir – applaudir – ralentir – rétrécir

1. Le public _____ quand la pièce est finie.

2. Les voitures _____ puis s'arrêtent au feu rouge.

3. Nous _____ les élèves en retard.

4. Attention quand on le lave à l'eau chaude, ce pull _____ .

5. Je ne _____ pas toujours comme je veux.

4   Complétez ce texte en conjuguant les verbes proposés au présent aux personnes demandées.

Le groupe (*se réunir*) _____ tous les samedis. Le président (*définir*) _____ l'emploi du temps. Tous ensemble, ils (*réfléchir*) _____ au programme et ils (*choisir*) _____ les thèmes de discussion. Le secrétaire de séance (*éclaircir*) _____ les points obscurs. Ils (*aboutir*) _____ quelquefois à une solution et (*réussir*) _____ à régler les problèmes, mais ils (*finir*) _____ souvent tard dans la soirée.

5   Faites des verbes en « -ir » à partir des adjectifs suivants et utilisez-les dans une phrase.

1. *mince* _____ _____

2. *dur* _____ _____

3. *brun* _____ _____

4. *épais* _____ _____

5. *grand* _____ _____

6. *vieux* _____ _____

7. *maigre* _____ _____

VERBES À UN RADICAL

- Le radical sert de base à **toutes** les personnes. Pour l'obtenir, il faut supprimer la terminaison *-ir* du verbe à l'infinitif. *Exemple :* ouvr-ir → **ouvr**.

▪ OUVRIR
Terminaisons : -e, -es, -e

j'	ouvre
tu	ouvres
il/elle	ouvre
nous	ouvrons
Vous	ouvrez
ils/elles	ouvrent

Et :
rouvrir, entrouvrir, couvrir, découvrir, recouvrir, offrir, souffrir...

▪ CUEILLIR
Terminaisons : -e, -es, -e

je	cueille
tu	cueilles
il/elle	cueille
nous	cueillons
vous	cueillez
ils/elles	cueillent

Et :
accueillir, recueillir.

▪ COURIR
Terminaisons : -s, -s, -t

je	cours
tu	cours
il/elle	court
nous	courons
vous	courez
ils/elles	courent

Et :
accourir, concourir, secourir, parcourir...

⚠ **Ouvrir** et **cueillir** se conjuguent au présent comme des verbes en *-er*.

VERBES À DEUX RADICAUX (type 1)

- Ces radicaux s'obtiennent à partir de l'infinitif.
– Le **1er radical** sert de base aux 3 personnes du **singulier**. Pour l'obtenir, il faut supprimer les 3 dernières lettres de l'infinitif. *Exemple :* dor-mir → **dor**.
– Le **2e radical** sert de base aux 3 personnes du **pluriel**. Pour l'obtenir, il faut supprimer la terminaison de l'infinitif. *Exemple :* dorm-ir → **dorm**.
- Terminaisons : *-s, -s, -t, -ons, -ez, -ent*.

▪ DORMIR

je	dors
tu	dors
il/elle	dort
nous	dormons
vous	dormez
ils/elles	dorment

Et :
s'endormir, (se) rendormir.

▪ PARTIR

je	pars
tu	pars
il/elle	part
nous	partons
vous	partez
ils/elles	partent

Et :
repartir, sortir, ressortir, sentir, ressentir, mentir, démentir, consentir...

▪ (SE) SERVIR

je	(me) sers
tu	(te) sers
il/elle	(se) sert
nous	(nous) servons
vous	(vous) servez
ils/elles	(se) servent

Et :
(se) resservir, desservir.

♪ Il est important de bien prononcer la dernière consonne sonore pour marquer la différence entre le singulier et le pluriel :
il dort [dɔʀ] / ils dorment [dɔʀm] – il part [paʀ] / ils partent [paʀt] – il (se) sert [sɛʀ] / ils (se) servent [sɛʀv].

1   Complétez au présent.

1. Tu ouvr__ tes cadeaux ?

2. Nous dor____ à l'hôtel.

3. On sor__ tous les deux.

4. Ils cueill____ des champignons.

5. Tu par__ déjà ?

6. Vous desserv____ la table ?

7. Je cour__ vite.

8. Il ser____ les clients.

9. Il men__ à ses parents.

10. Nous secour____ les blessés.

2   Répondez librement au présent avec les verbes soulignés.

1. Vous <u>partez</u> en vacances cette année ?   _____

2. Vous <u>sortez</u> ce soir ?   _____

3. Vous <u>dormez</u> bien en ce moment ?   _____

4. Vous <u>vous servez</u> du dictionnaire ?   _____

5. Vous <u>mentez</u> parfois à vos amis ?   _____

6. Vous <u>offrez</u> souvent des fleurs ?   _____

7. Vous <u>vous sentez</u> en forme ?   _____

3   Faites des phrases au présent avec les éléments donnés selon le modèle.

les voisins / aux Baléares / les enfants / partir / mes amis / s'endormir / accueillir
sortir / les organisateurs / devant la télévision / les étudiants / en boîte de nuit

Les voisins partent aux Baléares. _____

_____

_____

4   Complétez cette lettre en mettant les verbes au présent.

Chère Florence,

Depuis que nous _____ en Provence, nous _____   *être – se sentir*

merveilleusement bien. Nous _____ de la voiture,   *ne pas se servir*

excepté pour faire les courses. Le matin, nous _____ les volets   *ouvrir*

et nous _____ vite : nous _____ faire de longues   *sortir – partir*

promenades à pied et nous _____ toutes ces herbes qui   *cueillir*

_____ si bon : thym, lavande, romarin… Le soir,   *sentir*

nous _____ comme des bébés ! Malheureusement   *s'endormir*

nous _____ dans une semaine. Quel dommage !   *repartir*

Je _____ poster cette lettre et je t'embrasse.   *courir*

Claudine

VERBES À DEUX RADICAUX (type 2)

- Terminaisons : *-s*, *-s*, *-t*, *-ons*, *-ez*, *-ent*.

■ MOURIR
1er radical : *meur*
2e radical : *mour*

je	meurs
tu	meurs
il/elle	meurt
nous	mourons
vous	mourez
ils/elles	meurent

■ ACQUÉRIR
1er radical : *acquier*
2e radical : *acquér*

j'	acquiers
tu	acquiers
il/elle	acquiert
nous	acquérons
vous	acquérez
ils/elles	acquièrent

Et :
conquérir, requérir…

■ FUIR
1er radical : *fui*
2e radical : *fuy*

je	fuis
tu	fuis
il/elle	fuit
nous	fuyons
vous	fuyez
ils/elles	fuient

Et :
s'enfuir.

♪ Noter l'accent grave sur la 3e personne du pluriel : **ils acquièrent**, qui se prononce comme les 3 premières personnes du singulier : [akjɛʁ].

⚠ Le verbe **bouillir** a également deux radicaux irréguliers **bou** et **bouill** : *je bous, tu bous, il bout, nous bouillons, vous bouillez, ils bouillent.* *L'eau **bout**. – Nous **bouillons** d'impatience.*

VERBES À TROIS RADICAUX

- Le 1er radical sert de base aux 3 personnes du **singulier**.
- Le 2e radical sert de base à **nous** et à **vous**.
- Le 3e radical sert de base à **ils/elles**.
- Terminaisons : *-s*, *-s*, *-t*, *-ons*, *-ez*, *-ent*.

■ SE SOUVENIR
1er radical : *vien* – 2e radical : *ven*
3e radical : *vienn*

je	me souviens	Et :
tu	te souviens	venir (voir p. 12), revenir, devenir,
il/elle	se souvient	prévenir, provenir,
nous	nous souvenons	convenir, intervenir, survenir,
vous	vous souvenez	parvenir…
ils/elles	se souviennent	

■ TENIR
1er radical : *tien* – 2e radical : *ten*
3e radical : *tienn*

je	tiens	Et :
tu	tiens	obtenir, retenir, appartenir, contenir,
il/elle	tient	maintenir, soutenir,
nous	tenons	entretenir,
vous	tenez	s'abstenir, détenir…
ils/elles	tiennent	

♪ Notez la différence de prononciation :
il vient [vjɛ̃] / ils viennent [vjɛn] – il tient [tjɛ̃] / ils tiennent [tjɛn].

E X E R C I C E S

1 **Complétez les verbes au présent.**

1. Elles vien_____ ici.

2. Vous vous souven____ de ce voyage ?

3. Il acquier___ de l'assurance.

4. Elle tien___ un livre à la main.

5. Je fui___ les gens.

6. Nous préve_____ la police.

2 **Complétez avec le verbe « mourir » au présent et reliez les éléments.**

1. Il fait terriblement chaud.

2. Ça sent bon !...

3. Il faut le rencontrer.

4. Le chauffage ne marche pas.

a. Nous _____ de faim, pas vous ?

b. Il _____ d'envie de te connaître

c. On _____ de froid.

d. Je *meurs* de soif !

3 **Complétez cet extrait de lettre en conjuguant les verbes proposés au présent.**

Chers amis,

Que _____-vous ? Comment _____-vous ?

Quand _____-vous nous voir ? Nous _____

du Maroc : superbes vacances chez Marc. Vous _____

de lui ? Il _____ maintenant à Marrakech dans une belle villa

qui _____ à ses beaux-parents. Si je _____ mon

diplôme, je _____ travailler là-bas... C'est décidé !

devenir – aller

venir – revenir

se souvenir

habiter

appartenir – obtenir

partir

4 **Remplacez les mots soulignés par le verbe de même sens proposé dans la liste suivante.**

tenir – obtenir – convenir – conquérir – fuir – appartenir

1. Ces objets <u>sont à vous</u> ?

2. Je <u>reçois</u> tout ce que je demande.

3. Ces dates vous <u>arrangent</u> ?

4. Elle <u>est attachée</u> à cette bague.

5. L'entreprise <u>gagne</u> des marchés en Asie.

6. Quand elle le voit, elle <u>part à toute vitesse</u>.

Ces objets vous _____ ?

_____

_____ ?

_____

_____

_____

5 **Trouvez les verbes cachés à la verticale ou à l'horizontale. Notez-les avec le pronom qui convient.**

S	E	R	T	F	T	E	V
S	S	E	F	U	I	S	A
A	C	Q	U	I	E	R	S
I	A	T	I	E	N	T	G
T	U	D	T	R	S	P	A

tu tiens _____

_____ _____

_____ _____

_____ _____

_____ _____

Les verbes en *IRE*, dits du 3e groupe

- Pour obtenir le 1er radical, il faut supprimer le « **re** » de l'infinitif.
Exemples : ri-re → **ri** ; di-re→ **di** ; écri-re→ **écri**.
- Terminaisons : **-s**, **-s**, **-t**, **-ons**, **-ez**, **-ent**.

VERBES À UN RADICAL

▪ RIRE

je	ris	nous	rions
tu	ris	vous	riez
il/elle	rit	ils/elles	rient

Et :
sourire.

VERBES À DEUX RADICAUX (type 1)

- Pour obtenir le 2e radical, il faut ajouter un « **s** » au 1er radical.
Exemple : di-re → **dis**.

▪ DIRE

je	dis
tu	dis
il/elle	dit
nous	disons
vous	**dites**
ils/elles	disent

Et : redire, interdire, prédire, contredire, médire…

▪ CONDUIRE

je	conduis
tu	conduis
il/elle	conduit
nous	conduisons
vous	conduisez
ils/elles	conduisent

Et : produire, reproduire, réduire, traduire, séduire, cuire, (re)construire, détruire, instruire, nuire, suffire, introduire…

▪ LIRE

je	lis
tu	lis
il/elle	lit
nous	lisons
vous	lisez
ils/elles	lisent

Et : relire élire, réélire…

⚠ **Vous** est irrégulier seulement pour le verbe **dire** : *vous interdisez*, etc.

VERBES À DEUX RADICAUX (type 2)

- Pour obtenir le 2e radical, il suffit d'ajouter un « **v** » au 1er radical :
Exemple : écri-re → **écriv**.

▪ ÉCRIRE

j'	écris
tu	écris
il/elle	écrit
nous	écrivons
vous	écrivez
ils/elles	écrivent

Et :
récrire, décrire.

▪ (S')INSCRIRE

je	(m') inscris
tu	(t') inscris
il/elle	(s') inscrit
nous	(nous) inscrivons
vous	(vous) inscrivez
ils/elles	(s') inscrivent

Et :
(se) réinscrire, prescrire…

1   Complétez au présent.

1. Elle ri__ trop fort.

2. Tu condui__ bien !

3. Qu'est-ce que tu li__ ?

4. Qu'est-ce que vous di____ ?

5. Je di__ la vérité.

6. Nous nous inscri_____ en 1ʳᵉ année.

2   Faites des questions correspondant aux réponses.

1. – Non, je lis seulement des romans.

2. – Oui, on écrit souvent à nos parents.

3. – Non, je ne conduis pas souvent la nuit.

4. – Non, je ne dis pas toujours la vérité.

5. – Oui, nous nous inscrivons au cours de danse.

– *Est-ce que vous* _____ ?

– _____ ?

– _____ ?

– _____ ?

– _____ ?

3   Complétez au présent.

Sondage sur les Français		Et vous ?
rire	100 % _____ au cirque.	*Je* _____
lire	83 % _____ des magazines.	_____
écrire	5 % _____ un journal intime.	_____
conduire	30 % _____ sans ceinture.	_____
s'inscrire	22 % _____ à un club de gym.	_____

4   Donnez des définitions comme dans le modèle.

un médecin – un chauffeur de taxi –
un traducteur – un don Juan –
un architecte – un écrivain

traduire des livres – construire des maisons –
prescrire des médicaments – écrire des livres –
conduire des clients – séduire les femmes

Un médecin prescrit des médicaments. _____

_____

_____

5   Complétez au présent en choisissant le verbe qui convient.

élire – traduire – interdire – détruire – prédire – séduire

1. Il est brillant : ses professeurs lui _____ un bel avenir.

2. Comment _____-vous cette expression en français ?

3. On _____ ce vieux bâtiment près de chez elle.

4. Les Français _____ leur président tous les sept ans.

5. Votre idée me _____ : j'accepte !

6. La loi _____ de fumer dans les lieux publics.

Les verbes en *-DRE*, dits du 3e groupe

- Pour trouver le 1er radical, il faut distinguer :
  - les verbes **attendre**, **répondre**, **(se) perdre**, **coudre** et **prendre** qui perdent le « **re** » de l'infinitif. *Exemple* : attend-re → **attend** ;
  - les verbes **peindre**, **rejoindre** et **résoudre** qui perdent le « **dre** » de l'infinitif. *Exemples* : pein-dre → **pein** ; résou-dre → **résou**.

VERBES À UN RADICAL

- Terminaisons : **-s, -s, -, -ons, -ez, -ent**.

ATTENDRE

j'	attends
tu	attends
Il/elle	attend
nous	attendons
vous	attendez
ils/elles	attendent

Et :
entendre, vendre, revendre, descendre, défendre, prétendre, tendre, étendre, détendre, pendre, dépendre, suspendre, répandre…

RÉPONDRE

je	réponds
tu	réponds
il/elle	répond
nous	répondons
vous	répondez
ils/elles	répondent

Et :
correspondre, confondre fondre, pondre, tondre…

(SE) PERDRE

je	(me) perds
tu	(te) perds
il/elle	(se) perd
nous	(nous) perdons
vous	(vous) perdez
ils/elles	(se) perdent

Et :
mordre, tordre…

♪ Le « d » des 3 premières personnes du singulier ne se prononce pas, mais on entend clairement le « d » de **ils/elles** : il perd [pɛʀ] / ils perdent [pɛʀd].

VERBES À DEUX RADICAUX

- Pour obtenir le 2e radical, il faut changer « **n** » en « **gn** ».
Exemple : pein → **peign**.
- Terminaisons : **-s, -s, -t, -ons, -ez, -ent**.

PEINDRE

je	peins
tu	peins
il/elle	peint
nous	peignons
vous	peignez
ils/elles	peignent

Et :
dépeindre, éteindre, repeindre, atteindre, restreindre, feindre…

(SE) PLAINDRE

je	(me) plains
tu	(te) plains
il/elle	(se) plaint
nous	(nous) plaignons
vous	(vous) plaignez
ils/elles	(se) plaignent

Et :
craindre, contraindre.

REJOINDRE

je	rejoins
tu	rejoins
il/elle	rejoint
nous	rejoignons
vous	rejoignez
ils/elles	rejoignent

Et :
(se) joindre…

1 **Complétez au présent.**

1. Tu atten_____ depuis longtemps ?

2. J'enten_____ du bruit.

3. On se rejoin_____ à la maison.

4. Nous répon_____ rapidement.

5. Il pein_____ des portraits.

6. Vous éteign_____ la radio ?

7. Ils per_____ la tête !

8. Tu te plain_____ tout le temps !

9. Je me per_____ dans les détails.

10. Il préten_____ être noble.

2 **Reliez les éléments et complétez avec un des verbes suivants au présent.**

attendre – répondre – descendre – entendre – perdre

1. Ma mère est distraite.

2. Il n'y a personne.

3. Dépêche-toi !

4. Il n'y a plus de vin !

5. Le téléphone sonne.

a. Je n'_____ aucun bruit.

b. Tu _____ ?

c. Elle _____ toujours ses lunettes !

d. Christian t'_____ dans la voiture !

e. Je _____ à la cave.

3 **Mettez les phrases au pluriel.**

1. Le garagiste vend des voitures. _____

2. La vendeuse attend le client. _____

3. La standardiste répond aux appels. _____

4. Le policier défend l'entrée. _____

4 **Remplacez les mots soulignés par un verbe de même sens de la liste suivante, puis mettez ces verbes au pluriel.**

contraindre – atteindre – craindre – éteindre

1. Si tu n'écoutes pas, je ferme la radio. _____

2. Tu n'as pas peur de prendre froid ? _____

3. Il arrive au sommet de la montagne. _____

4. Tu nous forces à être malhonnêtes. _____

_____

5 **Complétez ce bulletin météorologique.**

Aujourd'hui, on _____ encore une grosse vague de chaleur dans le sud   *craindre*

de la France où les températures _____ déjà des records.   *atteindre*

On _____ les personnes âgées à boire beaucoup.   *contraindre*

Mais on _____ également la consommation d'eau   *restreindre*

et les agriculteurs _____ de ne plus pouvoir arroser leurs champs.   *se plaindre*

■ COUDRE

1er radical : *coud*
2e radical : *cous*
Terminaisons : *-s, -s, -*

je	couds
tu	couds
il/elle	coud
nous	cousons
vous	cousez
ils/elles	cousent

Et :
découdre, recoudre.

■ RÉSOUDRE

1er radical : *résou*
2e radical : *résolv*
Terminaisons : *-s, -s, -t*

je	résous
tu	résous
il/elle	résout
nous	résolvons
vous	résolvez
ils/elles	résolvent

Et :
dissoudre, absoudre.

♪ Aux 3 personnes du singulier de **coudre**, on n'entend pas le « d » : je couds [ku].

♪ **Moudre** se conjugue sur **coudre** mais le 2e radical est **moul** :
nous moulons, vous moulez, ils moulent.
*Je **mouds** le café. – Ils **moulent** le grain.*

VERBES À 3 RADICAUX

■ PRENDRE

1er radical : *prend*
2e radical : *pren* – 3e radical : *prenn*
Terminaisons : *-s, -s, -*

je	prends
tu	prends
il/elle	prend
nous	prenons
vous	prenez
ils/elles	prennent

Et :
apprendre, comprendre, reprendre, surprendre, entreprendre...

♪ Aux 3 personnes du singulier de **prendre**, on n'entend pas le « d » : je prends [pʀᾶ].

1   **Complétez au présent.**

1. On pren___ un verre ensemble ?

2. Tu appren___ l'allemand ?

3. Je résou___ mes problèmes moi-même.

4. Vous pren___ l'avion ce soir ?

5. Elles compren____ l'arabe.

6. Elle cou___ les vêtements de ses enfants.

7. Tu me surpren___ !

8. Nous appren___ à danser.

2   **Conjuguez le verbe « prendre » au présent et finissez les phrases librement.**

1. Elle _____ la décision de déménager parce qu'elle _____ .

2. Je _____ des notes _____ .

3. Vous _____ le train jusqu'à Lyon et vous _____ .

4. Nous _____ tout notre temps parce que _____ .

5. Ils _____ seulement un sandwich _____ .

6. Tu _____ trop de médicaments _____ .

3   **Choisissez le verbe qui convient et conjuguez-le au présent.**

apprendre – comprendre – surprendre – prendre – reprendre

1. Les enfants _____ à lire à l'âge de 6 ans. L'institutrice leur _____ la lecture avec des jeux

et ils _____ vite. Natacha me _____ : elle _____ tout !

2. Si tu ne _____ pas rendez-vous immédiatement, tu _____ des risques, tu _____ ?

3. Vous ne _____ rien tout simplement parce que vous n'_____ pas vos leçons !

4. Vous me _____ ! Vous ne _____ pas pourquoi nous _____ des précautions dans

cette délicate affaire et pourquoi cela nous _____ tellement de temps ?

5. Je ne _____ pas de dessert. Merci, je n'ai plus faim.

4   **Complétez avec les verbes au présent.**

1. Les femmes _____ (*coudre*) de moins en moins : elles achètent des vêtements tout faits.

2. Si on désire un café avec plus d'arôme, on le _____ (*moudre*) juste avant de le faire.

3. Tout ceci _____ (*ne pas résoudre*) mon problème ! Au contraire !

4. Ce cachet d'aspirine _____ (*se dissoudre*) rapidement dans l'eau.

5. J'ai perdu un bouton à mon manteau. Tu me le _____ (*recoudre*), s'il te plaît ?

6. Le président _____ (*dissoudre*) rarement l'Assemblée nationale.

7. Jacques et Anne-Marie _____ (*entreprendre*) la rénovation de leur maison.

8. Ces spécialistes _____ (*résoudre*) tous les problèmes.

9. Elle _____ (*reprendre*) ses études à 40 ans.

10. Ces nouvelles me _____ (*surprendre*).

Les verbes en *-AIRE/-OIRE*, dits du 3e groupe

- Pour obtenir le 1er radical, il faut supprimer le « **re** » de l'infinitif.
Exemples : plai-re → **plai** ; croi-re → **croi** ; boi-re → **boi**.
- Terminaisons : **-s**, **-s**, **-t**, **-ons**, **-ez**, **-ent**.

VERBES À DEUX RADICAUX (type 1)

- Pour obtenir le 2e radical, il faut ajouter « **s** » au 1er radical.
Exemple : plai → **plais**.

■ PLAIRE

je	plais
tu	plais
il/elle	plaît
nous	plaisons
vous	plaisez
ils/elles	plaisent

Et :
se plaire, déplaire,
se complaire.

■ SE TAIRE

je	me tais
tu	te tais
il/elle	se tait
nous	nous taisons
vous	vous taisez
ils/elles	se taisent

⚠ Accent circonflexe sur le « i » de la 3e personne du singulier de **plaire**, **déplaire**, **se complaire**.

VERBES À DEUX RADICAUX (type 2)

- Pour obtenir le 2e radical, il faut changer le « **i** » du 1er radical en « **y** ».
Exemple : croi → **croy**.

■ CROIRE

je	crois
tu	crois
il/elle	croit
nous	croyons
vous	croyez
ils/elles	croient

■ (SE) DISTRAIRE

je	(me) distrais
tu	(te) distrais
il/elle	(se) distrait
nous	(nous) distrayons
vous	(vous) distrayez
ils/elles	(se) distraient

Et :
extraire,
soustraire…

VERBE À TROIS RADICAUX

■ BOIRE
2e radical : *buv* – 3e radical : *boiv*

je	bois
tu	bois
il/elle	boit
nous	buvons
vous	buvez
ils/elles	boivent

1 Complétez au présent.

1. Elle plaî__ à tout le monde.

2. Ils boi _____ de la bière.

3. On soustrai__ 10 % de la somme.

4. Ils extrai_____ une tonne de sel.

5. Pourquoi est-ce que tu te tai__ ?

6. Vous cro_____ que c'est juste ?

7. Nous nous distra_____ en allant au café.

8. Tu soustrai__ combien ?

2 Mettez les verbes au présent.

1. *se plaire* – Vous _____ dans votre nouvel appartement ?

– Oui, je m'y _____ beaucoup.

2. *se taire* – Vous _____ quand le directeur arrive ?

– Bien sûr, on _____ !

3. *se distraire* – Comment est-ce que vous _____ dans ce village ?

– Oh ! on _____ comme on peut !...

4. *plaire* – Mes chaussures te _____ ?

– Tes chaussures, non, mais ta robe me _____ !

5. *soustraire* – Vous _____ la pause déjeuner de mon horaire de travail ?

– Mais non ! Nous ne _____ pas la pause déjeuner.

3 Complétez avec le verbe « boire » au présent.

Au petit déjeuner, je _____ du thé mais mon mari _____ du café. Les enfants _____ du lait. Le soir, nous ne _____ pas d'alcool, seulement de l'eau. En fait, on ne _____ du vin qu'au restaurant ou quand on invite des amis.

Les Français, c'est vrai, _____ beaucoup de vin, mais ils _____ aussi beaucoup d'eau minérale. Et vous, qu'est-ce que vous _____ ?

4 Complétez ce dialogue avec le verbe « croire » au présent.

– Je ne _____ pas aux fantômes et vous, vous y _____ ?

– Bien sûr que non ! Nous n'y _____ pas, mais tu _____ qu'il y a beaucoup de personnes qui y _____ ?

– Je ne sais pas, mais Jérôme en tout cas y _____ ... C'est incroyable, n'est-ce pas ?

5 Quelles sont vos croyances et celles des personnes de votre âge ?

_____

_____

_____

Les verbes en *-TRE*, dits du 3e groupe

- Pour obtenir le 1er radical, il faut supprimer le « **tre** » de l'infinitif.
Exemples : met-tre → **met** ; connaî-tre → **connaî**.

VERBES À DEUX RADICAUX

■ METTRE
2e radical : doubler le « *t* »
Terminaisons : *-s, -s, -*

je	mets
tu	mets
il/elle	met
nous	mettons
vous	mettez
ils/elles	mettent

Et :
remettre, promettre, permettre,
admettre, transmettre, émettre,
soumettre, compromettre…

■ (SE) BATTRE
2e radical : doubler le « *t* »
Terminaisons : *-s, -s, -*

je	(me)	bats
tu	(te)	bats
il/elle	(se)	bat
nous	(nous)	battons
vous	(vous)	battez
ils/ elles	(se)	battent

Et :
combattre, débattre…

■ CONNAÎTRE
2e radical : ajouter « *ss* »
Terminaisons : *-s, -s, -t*

je	connais
tu	connais
il/elle	connaît
nous	connaissons
vous	connaissez
ils/elles	connaissent

Et :
reconnaître, paraître,
reparaître, apparaître,
disparaître, réapparaître,
méconnaître.

■ NAÎTRE
2e radical : ajouter « *ss* »
Terminaisons : *-s, -s, -t*

je	nais
tu	nais
il/elle	naît
nous	naissons
vous	naissez
ils/elles	naissent

Et :
renaître.

■ CROÎTRE
2e radical : ajouter « *ss* »
Terminaisons : *-s, -s, -t*

je	croîs
tu	croîs
il/elle	croît
nous	croissons
vous	croissez
ils/elles	croissent

Et :
accroître, décroître.

⚠ Les verbes en *-aître* et en *-oître* prennent un accent circonflexe seulement sur le « **i** » qui précède le « **t** » : *il apparaît*. Le verbe **croître** prend l'accent circonflexe au présent, aux 3 personnes du singulier, et au participe passé pour le distinguer du verbe **croire**.

1 **Complétez au présent.**

1. Je met__ mon pull rouge.

2. Nous admet_____ qu'il a raison.

3. Tu te bat__ comme un lion !

4. Ils promet_____ d'arriver à l'heure.

5. Vous connai_____ mon mari ?

6. Ils connai_____ la route.

2 **Répondez librement en conjuguant le verbe souligné au présent.**

1. Est-ce que vous <u>mettez</u> du sucre dans votre café ?

_____

2. Est-ce que vous me <u>permettez</u>, monsieur le professeur, de sortir avant la fin de l'examen ?

_____

3. Est-ce que vous <u>connaissez</u> le Portugal ?

_____

4. Vous me <u>promettez</u> de continuer à étudier le français ?

_____

3 **Complétez au présent, puis écrivez une lettre de revendication à la 1ʳᵉ personne du pluriel.**

Ces personnes _____ le quartier depuis 20 ans.   *connaître*

Elles _____ pour préserver leur environnement :   *se battre*

elles ne _____ pas aux promoteurs de le défigurer.   *permettre*

Elles _____ toute leur énergie dans ce combat.   *mettre*

La mairie _____ leurs revendications et elle _____   *reconnaître – promettre*

de les aider, mais elle _____ aussi la construction   *permettre*

de grands immeubles. Vous _____ que c'est paradoxal !   *admettre*

Nous _____

_____

_____

4 **Complétez au présent avec « paraître », « réapparaître » et « disparaître ».**

Il _____ pendant plusieurs jours, sans raison, puis il _____ ! Moi, cela me
_____ bizarre. Il _____ qu'il a une petite amie en province...

5 **Complétez au présent avec « croître », « décroître », « croire » et « accroître ».**

Sur ce graphique, la courbe du nombre d'employés _____, mais après 1996, elle
_____ rapidement. Pourtant je _____ que c'est cette année-là que l'entreprise
_____ sa capacité de production.

Les verbes en -*VRE*, dits du 3ᵉ groupe

VERBES À DEUX RADICAUX

- Pour obtenir le 1ᵉʳ radical, il faut supprimer le « **vre** » de l'infinitif.
  Exemple : sui-vre → **sui**.
- Pour obtenir le 2ᵉ radical, il faut supprimer le « **re** » de l'infinitif.
  Exemple : suiv-re → **suiv**.
- Terminaisons : -*s*, -*s*, -*t*, -*ons*, -*ez*, -*ent*.

■ SUIVRE

je	suis	Et :
tu	suis	poursuivre…
il/elle	suit	
nous	suivons	
vous	suivez	
ils/elles	suivent	

■ VIVRE

je	vis	Et :
tu	vis	revivre, survivre.
il/elle	vit	
nous	vivons	
vous	vivez	
ils/elles	vivent	

⚠ Seul le contexte de la phrase peut distinguer le verbe **suivre** du verbe **être** à la 1ʳᵉ personne du singulier :
*Je **suis** étudiant et je **suis** un cours de maths.*

Les verbes en -*URE/-PRE/-CRE*

- Pour obtenir le 1ᵉʳ radical, il faut supprimer le « **re** » de l'infinitif.
  Exemples : conclu-re → **conclu** ; interromp-re → **interromp**.

VERBES À UN RADICAL

■ CONCLURE
Terminaisons : -*s*, -*s*, -*t*

je	conclus
tu	conclus
il/elle	conclut
nous	concluons
vous	concluez
ils/elles	concluent

Et : inclure, exclure…

■ INTERROMPRE
Terminaisons : -*s*, -*s*, -*t*

j'	interromps
tu	interromps
il/elle	interrompt
nous	interrompons
vous	interrompez
ils/elles	interrompent

Et : corrompre, rompre.

VERBES À DEUX RADICAUX

■ CONVAINCRE
2ᵉ radical : changer le « c » en « qu »
Terminaisons : -*s*, -*s*, -

je	convaincs
tu	convaincs
il/elle	convainc
nous	convain**qu**ons
vous	convain**qu**ez
ils/elles	convain**qu**ent

Et : vaincre.

♪ Pour **convaincre** et **interrompre**, le « p » et le « c » des 3 personnes du singulier ne se prononcent pas : je le convaincs [kɔ̃vɛ̃] – il interrompt [ɛ̃tɛʁɔ̃].

1 **Complétez au présent.**

1. Nous sui_____ des cours d'histoire.

2. Il conclu__ un marché.

3. On interromp___ la réunion ?

4. Tu vi__ seul ?

5. Elles survi_____ avec difficulté.

6. Je vous convain___ ?

2 **Répondez avec les verbes soulignés conjugués au présent.**

1. – Vous <u>vivez</u> en Europe ?

2. – Vous <u>excluez</u> cette possibilité ?

3. – Vous me <u>suivez</u> ?

4. – Pardon, j'<u>interromps</u> votre cours ?

– Oui, je _____ en Europe, j'habite en Grèce.

– Oui, je l' _____, je suis contre !

– Non, je ne vous _____ pas : je ne comprends rien.

– Non, vous ne m'_____ pas, j'ai fini.

3 **Complétez avec « suivre » et « vivre » au présent et reliez les éléments.**

1. Je vais dans cette direction.

2. Nous détestons la ville.

3. Thierry et son frère sont médecins.

4. Elle est complètement libre.

5. Il adore le football.

a. Alors nous _____ à la campagne.

b. Tu me _____, c'est plus simple !

c. Il _____ tous les matchs à la télévision.

d. Elle _____ sa vie !

e. Ils _____ l'exemple de leur père.

4 **Complétez au présent.**

1. Les ministres de l'Agriculture _____ (conclure) un accord important.

2. Les jeunes _____ (interrompre) parfois leurs études pour des raisons financières.

3. Nous les _____ (convaincre) de continuer à travailler avec nous.

4. Ce prix _____ (ne pas inclure) les taxes d'importation.

5. Depuis la mort de son mari, elle _____ (ne pas vivre), elle _____ (survivre).

5 **Complétez ce dialogue au présent.**

– Je _____ donc par cette phrase : « Nos objectifs sont… »   *conclure*

– Excusez-moi si je vous _____, monsieur,   *interrompre*

mais vous _____ le public car vous _____   *ne pas convaincre – ne pas inclure*

l'hypothèse de…

– Cela _____ ! Attendez… Je _____ le débat dans deux   *suffire – ouvrir*

minutes. Je _____ que vous _____ d'envie de parler,   *sentir – mourir*

mais je _____ à finir. Si vous me _____,   *tenir – permettre*

je _____ …   *poursuivre*

Les verbes en *-OIR*, dits du 3e groupe

(Pour les verbes **pouvoir**, **devoir**, **vouloir**, **savoir**, **falloir**, voir p. 14.)

VERBES À DEUX RADICAUX

■ PLEUVOIR

• Pour obtenir le 1er radical, il faut supprimer « **voir** » de l'infinitif.
Exemple : pleu-voir → **pleu**.
• Ce verbe ne se conjugue qu'à la 3e personne du singulier : **il pleut**.

⚠ Dans le style poétique, on peut trouver **pleuvoir** à la 3e personne du pluriel.
Le 2e radical apparaît : 1er radical + « v » → **pleuv**.
*Les bombes **pleuvent** sur la ville.*

■ VOIR

1er radical : *voi*
2e radical : *voy*
Terminaisons : *-s, -s, -t*

		Et :
je	vois	prévoir,
tu	vois	(se) revoir,
il/elle	voit	(s')entrevoir.
nous	voyons	
vous	voyez	
ils/elles	voient	

■ VALOIR

1er radical : *vau*
2e radical : *val*
Terminaisons : *-x, -x, -t*

		Et :
je	vaux	équivaloir…
tu	vaux	
il/elle	vaut	
nous	valons	
vous	valez	
ils/elles	valent	

⚠ Noter que le 1er radical des verbes **voir** et **s'asseoir** (1re conjugaison) sert de base aux 3 personnes du singulier et à la 3e personne du pluriel : *ils **voient**.*

⚠ **Voir** peut se conjuguer à la forme pronominale réciproque :
*Nous **nous voyons** tous les dimanches.*

⚠ Noter les terminaisons **-x** /**-x** / **-t** de **valoir** comme pour les verbes **vouloir** et **pouvoir**.

■ S'ASSEOIR (2 conjugaisons possibles)

1er radical : *assoi*
2e radical : *assoy*
Terminaisons : *-s, -s, -t*

je	m'assois
tu	t'assois
il/elle	s'assoit
nous	nous assoyons
vous	vous assoyez
ils/elles	s'assoient

1er radical : *assied*
2e radical : *assey*
Terminaisons : *-s, -s, -*

je	m'assieds
tu	t'assieds
il/elle	s'assied
nous	nous asseyons
vous	vous asseyez
ils/elles	s'asseyent

♪ Préférez la seconde conjugaison, plus agréable à l'oreille.

1 Complétez au présent.

1. Elles se voi_____ tous les jours.

2. Ils s'assoi _____ à la même table.

3. Vous vous asse_____ sur cette chaise.

4. Vous voy_____ cette femme là-bas ?

5. Tu prév_____ d'arrêter tes études ?

6. On se voi__ jeudi.

7. Nous nous asse_____ ici.

8. Ils val_____ 30 euros.

2 Complétez en conjuguant le verbe « voir » au présent.

- Nous ne _____ plus Anne et Diego... et vous, vous les _____ ?
- De temps en temps, on les _____ pour jouer au bridge.

- Je ne _____ pas pourquoi mon fils _____ cette fille si souvent...
- Mais s'ils se _____ tellement, c'est peut-être l'Amour avec un grand A !

3 Complétez avec le verbe « s'asseoir » au présent (utilisez les deux formes).

Jill _____/_____ à gauche de Paul, Claude et Marie _____/_____ en face d'eux, Ariane _____/_____ à droite de Paul. Moi, je _____/_____ au bout de la table et toi, tu _____/_____ à ma droite.

4 Complétez au présent.

Il _____ (ne pas pleuvoir) aujourd'hui et la météo _____ (prévoir) du soleil pour demain. Cela _____ (valoir) la peine de s'offrir un week-end à la campagne... Mais il _____ (valoir) mieux réserver une chambre d'hôtel !

5 Complétez cette conversation au présent.

– Vous _____, la situation n'est pas simple...

– Oh ! Vous _____ être pessimiste ! Je _____ que ce _____ aussi grave que vous le _____ . J'_____ rendez-vous avec elle demain. On _____ à 10 heures. Après, je _____ vous téléphoner si vous le _____ ... D'accord ?

– Vous _____ raison, mais il _____ mieux ne pas lui parler de notre conversation. Vous _____, je _____ faire d'histoires...

– Vous _____ compter sur ma discrétion.

voir

ne pas devoir – croire

ne pas être – dire

avoir – se voir

pouvoir

vouloir

avoir – valoir

savoir – ne pas vouloir

pouvoir

VERBES À TROIS RADICAUX

- Terminaisons : **-s**, **-s**, **-t**, **-ons**, **-ez**, **-ent**.

■ RECEVOIR

1er radical : *reçoi*
2e radical : *recev*
3e radical : *reçoiv*

je	reçois
tu	reçois
il/elle	reçoit
nous	recevons
vous	recevez
ils/elles	reçoivent

Et :
décevoir, concevoir, percevoir.

■ (S')APERCEVOIR

1er radical : *aperçoi*
2e radical : *apercev*
3e radical : *aperçoiv*

je	(m')aperçois
tu	(t')aperçois
il/elle	(s')aperçoit
nous	(nous) apercevons
vous	(vous) apercevez
ils/elles	(s')aperçoivent

♪ Attention à la cédille devant le « o » pour garder le son [s].

■ (S')ÉMOUVOIR

1er radical : *émeu*
2e radical : *émou*
3e radical : *émeuv*

je	(m')émeus
tu	(t') émeus
il/elle	(s) émeut
nous	(nous) émouvons
vous	(vous) émouvez
ils/elles	(s') émeuvent

Et :
mouvoir, promouvoir.

⚠ Dans la langue courante, **émouvoir** au présent est souvent remplacé par **toucher** :
*Cela m'**émeut** profondément.* = *Cela me **touche** beaucoup.*

1   **Mettez les cédilles si nécessaire.**

vous recevez – il concoit – nous apercevons – tu t'apercois – je décois – elle recoit – je percois

2   **Répondez librement au présent avec les verbes soulignés.**

1. Est-ce que vous <u>recevez</u> souvent vos amis à dîner ?

_____

2. Est-ce que vous <u>vous apercevez</u> rapidement de vos erreurs ?

_____

3. Est-ce que vous <u>concevez</u> un monde sans téléphone ?

_____

4. Est-ce que vous <u>percevez</u> la différence entre « voir » et « entrevoir » ?

_____

3   **Mettez les phrases au pluriel, puis transformez-les avec « nous » comme sujet.**

1. Le voisin reçoit des coups de fil anonymes. _____

2. Il déçoit terriblement le professeur. _____

3. Elle aperçoit la tour Eiffel. _____

4. Il ne conçoit pas une autre manière de vivre. _____

Nous _____

_____

4   **Complétez en mettant les verbes au présent.**

1. Les diplômés _____ (_recevoir_) les félicitations du jury.

2. Par la fenêtre, tu _____ (_apercevoir_) la basilique Saint-Pierre.

3. Je _____ (_recevoir_) trop de publicités dans ma boîte à lettres.

4. Sa sincérité m'_____ (_émouvoir_) : je _____ (_s'apercevoir_) qu'il est honnête.

5. Certains animaux _____ (_percevoir_) les ultrasons.

5   **Remplacez le verbe souligné par un verbe choisi dans la liste suivante.**

   concevoir – percevoir – émouvoir – s'apercevoir – recevoir

1. Ce film <u>fait pleurer</u> le public. _____

2. Je <u>me rends compte</u> que c'est trop tard. _____

3. Les publicitaires <u>créent</u> de nouveaux produits. _____

4. Tu <u>accueilles</u> des artistes chez toi ? _____

5. Depuis sa maladie, elle ne <u>distingue</u> plus les couleurs. _____

L'IMPARFAIT DE L'INDICATIF

• Pour **tous** les verbes (sauf **être**), l'imparfait se forme avec le radical de la 1re personne du pluriel du présent de l'indicatif auquel on ajoute les terminaisons : **-ais**, **-ais**, **-ait**, **-ions**, **-iez**, **-aient**.
Exemple : nous all-ons → **j'all-ais**.

Les verbes *ÊTRE*, *AVOIR*, *ALLER*, *VENIR* et *FAIRE*

■ ÊTRE

j'	**étais**
tu	**étais**
il/elle	**était**
nous	**étions**
vous	**étiez**
ils/elles	**étaient**

■ AVOIR (nous av-ons)

j'	avais
tu	avais
il/elle	avait
nous	avions
vous	aviez
ils/elles	avaient

♪ La liaison est obligatoire dans :
– **nous étions, vous étiez, ils étaient, elles étaient.**
– **nous avions, vous aviez, ils avaient, elles avaient.**

■ ALLER (nous all-ons)

j'	allais
tu	allais
il/elle	allait
nous	allions
vous	alliez
ils/elles	allaient

Et :
s'en aller :
je m'en allais

■ VENIR (nous ven-ons)

je	venais
tu	venais
il/elle	venait
nous	venions
vous	veniez
ils/elles	venaient

Et :
voir p. 12.

♪ La liaison est obligatoire dans **nous allions, vous alliez, ils allaient, elles allaient.**

■ FAIRE (nous fais-ons)

je	faisais
tu	faisais
il/elle	faisait
nous	faisions
vous	faisiez
ils/elles	faisaient

Et :
défaire : *je défaisais, nous défaisions*
etc.

1 **Conjuguez « avoir » à l'imparfait.**

Souvenirs de vacances

Tu te souviens de cet été-là chez Philippe. Mon frère _____ dix-huit ans et moi, je _____ à peine seize ans. Tes deux cousines _____ à peu près le même âge que nous. Philippe _____ son permis de conduire et nous _____ le droit de prendre la voiture de sa mère.

2 **Conjuguez « être » à l'imparfait.**

Fait divers dramatique

Le professeur _____ debout devant son bureau, nous _____ une dizaine dans la classe et les autres _____ encore dans l'escalier. Soudain, une explosion, des cris ! On _____ tremblants de peur, le professeur _____ blanc comme neige. C'_____ la panique ! Je _____ terrorisé.

3 **Mettez les verbes à l'imparfait.**

Mon grand-père est grand et fort. Il a des petits yeux et une moustache. Je suis très content de parler avec lui. En parlant, il fait des gestes. Il a de l'humour. Il a de bonnes relations avec tout le monde dans la famille. Nous avons beaucoup d'admiration pour lui. Le soir après le repas en été, nous allons et venons dans les allées du jardin. Il est aussi très généreux, il a le cœur sur la main, et puis il est drôle, nous faisons souvent des blagues à grand-mère.

Mon grand-père était grand et fort... _____

_____

_____

_____

4 **Racontez ce scénario de film à votre meilleur(e) ami(e) en mettant les verbes à l'imparfait et inventez la suite en utilisant « être », « avoir », « aller », « venir » et « faire ».**

L'héroïne est dans l'autobus... En face d'elle, il y a un homme bizarre. Il est très grand, très mince. Il lui fait des grands sourires, mais il n'a pas de dents. Elle a peur de lui, elle a envie de crier. Il va et vient entre les passagers. Il a de très grandes mains osseuses qui viennent toucher son bras. Elle est morte de peur, alors...

Hier, j'ai vu un film étrange : l'héroïne était dans l'autobus... _____

_____

_____

_____

Les verbes *POUVOIR*, *VOULOIR*, *DEVOIR*, *FALLOIR* et *SAVOIR*

■ POUVOIR (nous pouv-ons)   et   ■ VOULOIR (nous voul-ons)

je	pouvais		je	voulais
tu	pouvais		tu	voulais
il/elle	pouvait		il/elle	voulait
nous	pouvions		nous	voulions
vous	pouviez		vous	vouliez
ils/elles	pouvaient		ils/elles	voulaient

■ DEVOIR (nous dev-ons)   et   ■ FALLOIR

je	devais			
tu	devais			
il/elle	devait		il	fallait
nous	devions			
vous	deviez			
ils/elles	devaient			

⚠ **Falloir** ne se conjugue qu'à la 3e personne du singulier.

■ SAVOIR (nous sav-ons)

je	savais
tu	savais
il/elle	savait
nous	savions
vous	saviez
ils/elles	savaient

♪ Ne confondez pas :
nous avions et **nous savions** – **vous aviez** et **vous saviez**
    [z]   [s]   [z]   [s]

1   Rapportez à votre frère ou sœur cet appel téléphonique en mettant les verbes à l'imparfait.

Allô, Stéphane ! C'est maman. Pour la fête ce soir, il ne faut pas inviter plus d'une vingtaine de personnes. Vous pouvez déménager les canapés dans ma chambre si vous voulez. Les voisins peuvent vous aider ! Si tu veux, tu peux utiliser ma chaîne hi-fi. Attention ! vous ne pouvez pas faire de bruit après une heure du matin.

Maman a appelé. Elle a dit que pour la fête ce soir, il... _____.

Elle a dit que nous _____ si nous _____

et que les voisins _____ ! Elle m'a dit que

si _____ mais que nous _____

_____.

2   Faites les transformations selon le modèle.

À notre époque :

1. Il fallait aller à l'école à pied.	→	*Nous devions aller à l'école à pied.*
2. Il fallait se lever à 6 h du matin.	→	Je _____
3. Il fallait obéir aux ordres des professeurs.	→	Vous _____
4. Il fallait travailler dur, même le dimanche.	→	On _____
5. Il fallait économiser notre argent de poche.	→	Nous _____

3   Terminez les phrases avec « savoir » à l'imparfait selon le modèle.

Je connais Florence depuis longtemps, mais je *ne savais pas qu'elle avait un fils.*

1. Nous connaissons le quartier depuis 10 ans, mais nous _____

2. Elle connaît la France depuis 5 ans, mais elle _____

3. Ils connaissent les vins français, mais ils _____

4. Tu connais bien Léa, mais tu _____

5. Vous connaissez les Lebreton, mais vous _____

4   Complétez ce récit avec « pouvoir », « vouloir », « devoir », « falloir » ou « savoir » à l'imparfait.

J'ai participé à un jeu à la télévision. Nous _____ répondre à plusieurs questions.

On _____ choisir des thèmes. Si on _____, on _____ demander un joker.

Il _____ répondre en moins de 30 secondes. Les candidats _____ absolument arriver

au 3ᵉ jeu pour avoir un prix. Si vous _____ comment aller à la case « ARRIVÉE » sans difficultés,

alors vous étiez le gagnant.

Les lots _____ être importants mais vous ne _____ pas les échanger contre une somme

d'argent.

Les verbes en -ER

- L'imparfait se forme avec le radical de la 1re personne du pluriel du présent de l'indicatif auquel on ajoute les terminaisons : **-ais**, **-ais**, **-ait**, **-ions**, **-iez**, **-aient**.

■ **PARLER**
   (nous parl-ons)

je	parlais
tu	parlais
il/elle	parlait
nous	parlions
vous	parliez
ils/elle	parlaient

■ **SE DÉPÊCHER**
   (nous nous dépêch-ons)

je	me	dépêchais
tu	te	dépêchais
il/elle	se	dépêchait
nous	nous	dépêchions
vous	vous	dépêchiez
ils/elle	se	dépêchaient

■ **OUBLIER**
   (nous oubli-ons)

j'	oubliais
tu	oubliais
il/elle	oubliait
nous	oubl**ii**ons
vous	oubl**ii**ez
ils/elles	oubliaient

■ **PAYER**
   (nous pay-ons)

je	payais
tu	payais
il/elle	payait
nous	pa**y**ions
vous	pa**y**iez
ils/elles	payaient

♪ La différence est peu sensible entre **nous oublions** [ublijɔ̃] et **nous oubliions** [ublijjɔ̃], **nous payons** [pɛjõ] et **nous payions** [pɛjjõ].

■ **COMMENCER**
   (nous commenç-ons)

je	commençais
tu	commençais
il/elle	commençait
nous	commencions
vous	commenciez
ils/elles	commençaient

♪ Le « ç » (c cédille) devant « a » permet de garder la prononciation [s].

■ **MANGER**
   (nous mang-e-ons)

je	mangeais
tu	mangeais
il/elle	mangeait
nous	mangions
vous	mangiez
ils/elles	mangeaient

♪ Le « e » devant « a » permet de garder la prononciation [ʒ].

Et :
continuer : *je continuais, nous continuions*
jouer : *je jouais, nous jouions*
créer : *je créais, nous créions*
gagner : *je gagnais, nous gagnions*
travailler : *je travaillais, nous travaillions*
appeler : *j'appelais, nous appelions*
jeter : *je jetais, nous jetions*
employer : *j'employais, nous employions*

s'ennuyer : *je m'ennuyais, nous nous ennuyions*
se promener : *je me promenais, nous nous promenions*
acheter : *j'achetais, nous achetions*
congeler : *je congelais, nous congelions*
(se) lever : *je (me) levais, nous (nous) levions*
peser : *je pesais, nous pesions*
semer : *je semais, nous semions*
espérer : *j'espérais, nous espérions*

1   Conjuguez à l'imparfait.

1. *aimer*   Elles _____

2. *habiter*   Il _____

3. *cuisiner*   Vous _____

4. *remercier*   Nous _____

5. *tuer*   Ils _____

6. *louer*   Vous _____

7. *essayer*   Tu _____

8. *avancer*   Nous _____

9. *obliger*   Elle _____

2   Faites une opposition en conjuguant les verbes soulignés à l'imparfait.

1. Tu oublies toujours tout, moi à ton âge, je n'_____ rien.

2. Vous travaillez peu et vous vous amusez beaucoup. Nous à votre âge, on _____ toute
la journée et on _____ peu.

3. Vous mangez de la viande deux fois par jour, moi je _____ de la viande deux fois par semaine.

4. Ils jettent tous les restes de repas à la poubelle, mais à notre époque, nous ne _____ rien.

5. Tu achètes des vêtements tous les mois. À ton âge, nous _____ des vêtements une fois par an.

6. Vous gagnez un bon salaire rapidement. À votre âge, mon mari _____ dix fois moins.

3   Mettez les verbes à l'imparfait pour faire une comparaison entre les jeunes d'aujourd'hui et ceux
des années 60.

Aujourd'hui	*Dans les années 60*
1. Les jeunes portent des jeans.	Ils portaient des pantalons larges.
2. Les filles s'habillent avec des pantalons très serrés.	_____
3. Ils aiment avoir les cheveux très courts.	_____
4. La jeunesse écoute du rap.	_____
5. Elle danse sur les rythmes de hip-hop.	_____
6. Elle préfère Mickael Jackson à Elton John.	_____
7. Les jeunes envoient du courrier électronique.	_____
8. Ils passent leur temps devant la télévision.	_____

4   Complétez en conjuguant les verbes à l'imparfait.

Elle _____ à une déesse. Elle _____ des bagues   *ressembler – porter*

à chaque doigt. À ses poignets _____ accrochés une quantité   *se trouver*

de bracelets. Elle _____ avec une voix qui m'_____ . *chanter – enivrer*

De grandes mèches _____ sur son front et ses longs cheveux   *tomber*

dorés _____ sur ses épaules. Nous _____   *rouler – échanger*

des regards et _____ . Je l'_____ déjà.   *ne pas parler – aimer*

5   Composez un texte à l'imparfait comme dans l'exercice 4 pour faire le portrait d'un être aimé.

Les verbes en *-IR*

- L'imparfait se forme avec le radical de la 1re personne du pluriel du présent de l'indicatif auquel on ajoute les terminaisons : *-ais*, *-ais*, *-ait*, *-ions*, *-iez*, *-aient*.

■ FINIR
(nous finiss-ons)

je	finissais
tu	finissais
il/elle	finissait
nous	finissions
vous	finissiez
ils/elles	finissaient

■ OUVRIR
(nous ouvr-ons)

j'	ouvrais
tu	ouvrais
il/elle	ouvrait
nous	ouvrions
vous	ouvriez
ils/elles	ouvraient

■ PARTIR
(nous part-ons)

je	partais
tu	partais
il/elle	partait
nous	partions
vous	partiez
ils/elles	partaient

■ (SE) SERVIR
(nous nous serv-ons)

je	(me)	servais
tu	(te)	servais
il/elle	(se)	servait
nous	(nous)	servions
vous	(vous)	serviez
ils/elles	(se)	servaient

■ SE SOUVENIR
(nous nous souven-ons)

je	me	souvenais
tu	te	souvenais
il/elle	se	souvenait
nous	nous	souvenions
vous	vous	souveniez
ils/elles	se	souvenaient

Et :
s'enrichir : *je m'enrichissais, nous nous enrichissions*
haïr : *je haïssais, nous haïssions*
courir : *je courais, nous courions*
cueillir : *je cueillais, nous cueillions*
dormir : *je dormais, nous dormions*
mourir : *je mourais, nous mourions*
acquérir : *j'acquérais, nous acquérions*
fuir : *je fuyais, nous fuyions*
tenir : *je tenais, nous tenions*

1   Complétez au présent puis conjuguez à l'imparfait.

	Présent	Imparfait
1. *réussir*	nous réussi_____	Je _____ tous mes examens.
2. *offrir*	nous offr____	Ils _____ une place gratuite.
3. *se sentir*	nous nous sent____	Elle _____ bien.

2   Mettez à l'imparfait selon le modèle.

1. *parler – rougir*   Plus nous *te parlions*, plus *tu rougissais* !

2. *venir – apprécier*   Plus je _____ le voir, plus je l'_____ .

3. *vieillir – devenir*   Plus ils _____ agressifs.

4. *dormir – se sentir*   Plus il _____ fatigué.

5. *grandir – maigrir*   Plus elle _____ .

3   Faites des propositions en utilisant l'imparfait, selon le modèle.

Faire un grand voyage   Si on *faisait un grand voyage* ?

1. Partir ensemble faire du ski   Si nous _____ ?

2. Venir avec nous au restaurant   Si vous _____ ?

3. Écrire pour lui annoncer la nouvelle   Si tu _____ ?

4. Prévenir la police   Si on _____ ?

4   Complétez le texte en conjuguant les verbes donnés à l'imparfait.

Son père _____ un bar qui _____ situé près d'un théâtre.   *tenir – être*

Les acteurs _____ souvent boire un verre. Avant la représentation,   *venir*

ils _____ . Ils _____ souvent le trac. Alors, on ne   *se réunir – avoir*

leur _____ jamais d'alcool. Après le spectacle, ils _____   *servir – sortir*

du théâtre et _____ au bar : ils _____, ils _____ ,   *revenir – dîner – plaisanter*

ils _____ leurs souvenirs. Parfois, ils _____ une bouteille   *raconter – ouvrir*

de champagne et ils en _____ à tout le monde. En général,   *offrir*

ils _____ avant 2 ou 3 heures du matin. J'_____ serveur   *ne pas partir – être*

dans ce bar : c'_____ sympathique, mais fatigant. Certains soirs,   *être*

je _____ de sommeil. Je _____ chez moi à pied parce qu'il   *mourir – rentrer*

n'y _____ plus de métro et je _____ au petit matin quand   *avoir – s'endormir*

mes voisins _____ travailler.   *partir*

5   Racontez un souvenir heureux à l'imparfait.

_____

_____

Les verbes en -RE

• L'imparfait se forme avec le radical de la 3ᵉ personne du pluriel du présent de l'indicatif auquel on ajoute les terminaisons : **-ais**, **-ais**, **-ait**, **-ions**, **-iez**, **-aient**.

■ **RIRE**
(nous ri-ons)

je	riais
tu	riais
il/elle	riait
nous	ri**i**ons
vous	ri**i**ez
ils/elles	riaient

■ **DIRE**
(nous dis-ons)

je	disais
tu	disais
il/elle	disait
nous	disions
vous	disiez
ils/elles	disaient

■ **ÉCRIRE**
(nous écriv-ons)

j'	écrivais
tu	écrivais
il/elle	écrivait
nous	écrivions
vous	écriviez
ils/elles	écrivaient

Et :
conduire : *je conduisais, nous conduisions*
lire : *je lisais, nous lisions*
(s')inscrire : *je (m')inscrivais, nous (nous) inscrivions*

♪ Noter les deux « **i** » du verbe **rire** : la différence est peu sensible entre **nous rions** [ʀijɔ̃] et **nous riions** [ʀijjɔ̃].

■ **ATTENDRE**
(nous attend-ons)

j'	attendais
tu	attendais
il/elle	attendait
nous	attendions
vous	attendiez
ils/elles	attendaient

■ **PRENDRE**
(nous pren-ons)

je	prenais
tu	prenais
il/elle	prenait
nous	prenions
vous	preniez
ils/elles	prenaient

■ **(SE) PLAINDRE**
([nous] plaign-ons)

je	(me) plaignais
tu	(te) plaignais
il/elle	(se) plaignait
nous	(nous) plaignions
vous	(vous) plaigniez
ils/elles	(se) plaignaient

Et :
répondre : *je répondais, nous répondions*
(se) perdre : *je (me) perdais, nous (nous) perdions*
peindre : *je peignais, nous peignions*
rejoindre : *je rejoignais, nous rejoignions*
coudre : *je cousais, nous cousions*
résoudre : *je résolvais, nous résolvions*

E X E R C I C E S

1 **Complétez au présent puis conjuguez à l'imparfait.**

	Présent		*Imparfait*
1. *sourire*	nous souri____	Vous _____ sur cette photo.
2. *lire*	nous li____	Nous _____ des magazines.
3. *apprendre*	nous appre____	Je _____ facilement.
4. *entendre*	nous enten____	On _____ des bruits étranges.

2 **Complétez ce texte avec les verbes donnés à l'imparfait.**

Au début de mon séjour en France, je _____ beaucoup à mes parents,   *écrire*

je leur _____ que tout _____ bien. En fait, je _____   *dire – aller – se sentir*

très seul. Je _____ quand les gens _____ des plaisanteries   *ne pas rire – faire*

car je _____ ce qu'ils _____ .   *ne pas comprendre – dire*

Je _____ dans les rues... La vie _____ facile !   *se perdre – ne pas être*

3 **Rapportez ces paroles au discours indirect selon le modèle.**

Elle ne sourit jamais.   *On m'a dit qu'elle ne souriait jamais.*

1. Vous vendez votre maison.   On m'a dit que _____

2. On attend sa réponse.   _____

3. Elle se plaint d'avoir mal au dos.   _____

4. Les autorités craignent une rébellion.   _____

5. Vous n'apprenez rien.   _____

4 **Comparez la situation des femmes d'aujourd'hui à celle d'autrefois en utilisant l'imparfait puis continuez librement.**

De nos jours une femme est plus libre. Elle dépend moins de son mari : elle conduit, elle a son propre compte en banque. Elle sort seule le soir, elle va seule au cinéma, elle prend l'avion seule. Elle ne fait plus la vaisselle : elle se sert de machines pour se faciliter la vie. Elle peut exercer toutes les professions qu'elle veut.

Mais autrefois, une femme était moins libre. Elle _____

_____

_____

_____

_____

5 **Le style de vie de vos parents était-il très différent du vôtre au même âge ? Racontez.**

_____

_____

■ **CROIRE**
(nous croy-ons)

je	croyais
tu	croyais
il/elle	croyait
nous	croyions
vous	croyiez
ils/elles	croyaient

■ **BOIRE**
(nous buv-ons)

je	buvais
tu	buvais
il/elle	buvait
nous	buvions
vous	buviez
ils/elles	buvaient

■ **SE TAIRE**
(nous nous tais-ons)

je	me	taisais
tu	te	taisais
il/elle	se	taisait
nous	nous	taisions
vous	vous	taisiez
ils/elles	se	taisaient

Et :
plaire : *je plaisais, nous plaisions*
soustraire : *je soustrayais, nous soustrayions*
(se) distraire : *je (me) distrayais, nous (nous) distrayions*

♪ La différence est peu sensible entre :
– **nous croyons** [kʀwajɔ̃] et **nous croyions** [kʀwajjɔ̃] ;
– **vous distrayez** [distʀɛje] et **vous distrayiez** [distʀɛjje].

■ **METTRE**
(nous mett-ons)

je	mettais
tu	mettais
il/elle	mettait
nous	mettions
vous	mettiez
ils/elles	mettaient

■ **CONNAÎTRE**
(nous connaiss-ons)

je	connaissais
tu	connaissais
il/elle	connaissait
nous	connaissions
vous	connaissiez
ils/elles	connaissaient

■ **VIVRE**
(nous viv-ons)

je	vivais
tu	vivais
il/elle	vivait
nous	vivions
vous	viviez
ils/elles	vivaient

Et :
(se) battre : *je (me) battais, nous (nous) battions*
naître : *je naissais, nous naissions*
croître : *je croissais, nous croissions*
conclure : *je concluais, nous concluions*
suivre : *je suivais, nous suivions*
interrompre : *j'interrompais, nous interrompions*
convaincre : *je convainquais, nous convainquions*

1 Complétez au présent puis conjuguez à l'imparfait.

Présent   *Imparfait*

1. *vivre*   nous viv_____   Ils _____ ensemble.

2. *mettre*   nous met_____   Tu _____ toute ton énergie dans ce projet.

3. *se taire*   nous nous tai_____   Vous_____ poliment.

4. *connaître*   nous connai_____   Elle _____ bien la maison.

2 Répondez librement aux questions suivantes.

1. Quand vous aviez 8 ans, où est-ce que vous viviez ?

_____

2. Est-ce que vous vous battiez souvent avec les autres enfants ?

_____

3. Est-ce que vous vous mettiez souvent en colère ?

_____

4. Est-ce que vous croyiez au Père Noël ?

_____

3 Mettez le texte à l'imparfait en le transformant et en utilisant la forme négative si nécessaire.

Comment va Cédric ? Oh ! Il va beaucoup mieux : il n'est plus déprimé. Son travail lui plaît et il ne se plaint plus de ses collègues. Il prend des cours de yoga, il se distrait, il sort beaucoup, il connaît toutes les discothèques à la mode et boit un peu trop d'alcool. Il vit bien !

Avant Cédric allait mal : il _____

_____

_____

4 Complétez ce récit à l'imparfait.

J'ai fait un rêve étrange : je _____ à un arrêt de bus mais   *attendre*

je _____ ce que je _____ là, dans cette ville que   *ne pas savoir – faire*

je _____ . Tout à coup le décor _____ :   *ne pas connaître – changer*

je _____ dans un hall de gare et je _____ soudain   *se trouver – voir*

ma grand- mère. Elle _____ l'air très jeune et elle me _____ .   *avoir – sourire*

Je _____ vers elle mais brusquement, elle _____ .   *courir – disparaître*

5 Racontez à l'imparfait un rêve étrange que vous avez fait.

_____

_____

Les verbes en -*OIR*

* L'imparfait se forme avec le radical de la 1ʳᵉ personne du pluriel du présent de l'indicatif auquel on ajoute les terminaisons : **-ais, -ais, -ait, -ions, -iez, -aient**.

■ PLEUVOIR : il pleuvait

■ VOIR
(nous voy-ons)

je	voyais
tu	voyais
il/elle	voyait
nous	voyions
vous	voyiez
ils/elles	voyaient

■ S'ASSEOIR
(nous nous assey-ons/assoy-ons)

je	m'asseyais/m'assoyais
tu	t'asseyais/t'assoyais
il/elle	s'asseyait/s'assoyait
nous	nous asseyions/nous assoyions
vous	vous asseyiez/vous assoyiez
ils/elles	s'asseyaient/s'assoyaient

♪ La différence est peu sensible entre :
– **nous voyons** [vwajɔ̃] et **nous voyions** [vwajjɔ̃] ;
– **vous vous asseyez** [asɛje] et **vous vous asseyiez** [asɛjje].

■ RECEVOIR
(nous recev-ons)

je	recevais
tu	recevais
il/elle	recevait
nous	recevions
vous	receviez
ils/elles	recevaient

■ (S')APERCEVOIR
(nous [nous] apercev-ons)

je	(m')apercevais
tu	(t')apercevais
il/elle	(s')apercevait
nous	(nous) apercevions
vous	(vous) aperceviez
ils/elles	(s')apercevaient

Et :
valoir : *je valais, nous valions*
(s')émouvoir : *j(e) (m')émouvais, nous (nous) émouvions*

1 Complétez au présent puis conjuguez à l'imparfait.

	Présent		*Imparfait*
1. *se revoir*	nous nous revoy___	Vous _____ régulièrement ?	
2. *s'asseoir*	nous nous asse_____	Tu _____ à cette place.	
	nous nous asso_____	Nous _____ au dernier rang.	
3. *recevoir*	nous recev_____	Ils _____ souvent des amis.	
4. *s'apercevoir*	nous nous apercev_____	Elle _____ qu'il pleuvait.	

2 Conjuguez le verbe « (se) voir » à l'imparfait.

– Vous _____ souvent Paul et toi à l'université ?

– Non, nous ne _____ que pour le cours de littérature, mais je _____ beaucoup son frère. On _____ dans des cafés pour discuter. À cette époque, lui et ses amis _____ des gens assez bizarres et ses parents ne _____ pas cela d'un très bon œil !!

3 Mettez à l'imparfait et continuez librement.

Maintenant	*Avant*
1. Tu me déçois.	Tu *ne me décevais jamais.*
2. Elle s'assied dans la zone non fumeur.	Elle _____ .
3. Ils reçoivent des courriers électroniques.	Ils _____ .
4. Un dollar vaut 1,4 euro.	Il _____ .
5. On prévoit de partir 15 jours.	On _____ .

4 Complétez cette description à l'imparfait.

Fatigué, je _____ (*s'asseoir*) au pied d'un arbre et _____ (*regarder*) la vallée. De là, je _____ (*voir*) tout le village. Il _____ (*pleuvoir*) légèrement. Tout _____ (*être*) gris mais on _____ (*apercevoir*) à l'horizon la ligne bleue des montagnes. Ce paysage m'_____ (*émouvoir*).

5 Complétez cette chanson de Georges Brassens.

Il pleuv____ fort sur la grand-route   Un p'tit coin d'parapluie

Elle chemin_____ sans parapluie   Contre un coin d'paradis,

J'en av_____ un, volé sans doute   Elle av_____ quelque chose d'un ange,

Le matin même à un ami.   Un p'tit coin d'parapluie

[...]   Contre un coin d'paradis,

                                             Je n'perd___ pas au change,

                                             Pardi !

LE PASSÉ COMPOSÉ DE L'INDICATIF

AVEC L'AUXILIAIRE *AVOIR*

• Le passé composé se forme avec **avoir** au présent de l'indicatif auquel on ajoute le **participe passé** du verbe à conjuguer.

ÊTRE et AVOIR

• Ces deux verbes se conjuguent au passé composé avec l'auxiliaire **avoir**.

■ **ÊTRE**

j'	ai	été
tu	as	été
il/elle	a	été
nous	avons	été
vous	avez	été
ils/elles	ont	été

■ **AVOIR**

j'	ai	eu
tu	as	eu
il/elle	a	eu
nous	avons	eu
vous	avez	eu
ils/elles	ont	eu

♪ Les liaisons obligatoires sont les mêmes que celles du présent du verbe **avoir** (voir p. 8).

VERBES EN *-ER*

• **Tous** les verbes en *-er* ont leur participe passé en « **-é** ».

■ **PARLER**

j'	ai	parlé
tu	as	parlé
il/elle	a	parlé
nous	avons	parlé
vous	avez	parlé
ils/elles	ont	parlé

Et :

oublier : *j'ai oublié*
continuer : *j'ai continué*
jouer : *j'ai joué*
créer : *j'ai créé*
gagner : *j'ai gagné*
travailler : *j'ai travaillé*
commencer : *j'ai commencé*
manger : *j'ai mangé*
payer : *j'ai payé*
employer : *j'ai employé*

appeler : *j'ai appelé*
jeter : *j'ai jeté*
mener : *j'ai mené*
acheter : *j'ai acheté*
congeler : *j'ai congelé*
lever : *j'ai levé*
peser : *j'ai pesé*
semer : *j'ai semé*
espérer : *j'ai espéré*

ACCORD DU PARTICIPE PASSÉ

• Pour les verbes conjugués avec **avoir**, on accorde le participe passé avec le **complément d'objet direct** (COD) si celui-ci est placé **avant** le verbe :

*J'essaie la veste **que** j'ai achet**ée** ce matin.*

– *Où est-ce que tu as eu ces livres ? – Je **les** ai trouv**és** à la bibliothèque.*

• Il n'y a pas d'accord avec le pronom **en** :

– *Tu as écouté mes nouveaux disques ? – J'**en** ai écout**é** deux.*

1   **Complétez en conjuguant au passé composé à la forme négative.**

1. Nous avons de la chance, mais hier, nous _____ .

2. Elle est absente, mais ces jours-ci, elle _____ .

3. Le soleil brille, mais pendant trois jours, _____ .

4. Vous me remerciez, mais la dernière fois, vous _____ .

5. Nous interrogeons notre répondeur, mais hier, _____ .

6. Tu payes la facture, mais le mois dernier, _____ .

2   **Rédigez ce curriculum vitae en introduisant « être » ou « avoir » au passé composé.**

1975 : baccalauréat   En 1975, _____

1976-1980 : étudiant à Strasbourg   _____

1980 : diplôme d'ingénieur   _____

1981-1982 : stagiaire à Paris   _____

1983 : premier poste en entreprise   _____

3   **Créez un texte avec les éléments proposés en conjuguant les verbes au passé composé et en variant les pronoms.**

Qu'est-ce que vous avez fait hier soir ?
regarder la télévision – manger tard – téléphoner à des amis – parler jusqu'à minuit – jouer au Scrabble – gagner la partie – laver et essuyer la vaisselle – inviter des copains

Hier soir, je _____

_____

4   **Reconstituez cet article de journal en organisant les éléments et en mettant les verbes au passé composé.**

Manifestation de milliers d'étudiants / Marche à travers la ville / Pique-nique sur les trottoirs de la ville / Scander des slogans contre la réforme de l'éducation / Essai de la police pour les arrêter / Prolongation de la manifestation jusqu'à 17 heures / La manifestation la plus importante depuis des années.

La semaine dernière, des milliers _____

_____

_____

5   **Mettez les verbes proposés au passé composé. Faites l'accord du participe passé si nécessaire.**

1. Est-ce que tu _____ les nouvelles ce matin ? (*écouter*)

2. Ces livres, je les _____ la semaine dernière. (*acheter*)

3. Voilà les prix que nous _____ à la fête. (*gagner*)

4. Je ne veux plus de gâteaux, j'en _____ trois. (*manger*)

Les verbes en *-IR*

PARTICIPE PASSÉ EN « -I »

■ FINIR

j'	ai	fini
tu	as	fini
il/elle	a	fini
nous	avons	fini
vous	avez	fini
ils/elles	ont	fini

■ CUEILLIR

j'	ai	cueilli
tu	as	cueilli
il/elle	a	cueilli
nous	avons	cueilli
vous	avez	cueilli
ils/elles	ont	cueilli

■ DORMIR

j'	ai	dormi
tu	as	dormi
il/elle	a	dormi
nous	avons	dormi
vous	avez	dormi
ils/elles	ont	dormi

Et :
accueillir : *j'ai accueilli* – servir : *j'ai servi* – mentir : *j'ai menti* – fuir : *j'ai fui*...

⚠ **Haïr** garde son tréma au passé composé.
Il l'a haï de l'avoir dénoncé.

PARTICIPE PASSÉ EN « -U »

■ COURIR

j'	ai	couru
tu	as	couru
il/elle	a	couru
nous	avons	couru
vous	avez	couru
ils/elles	ont	couru

Et :
parcourir : *j'ai parcouru*
secourir : *j'ai secouru*...

■ TENIR

j'	ai	tenu
tu	as	tenu
il/elle	a	tenu
nous	avons	tenu
vous	avez	tenu
ils/elles	ont	tenu

Et :
obtenir : *j'ai obtenu*
prévenir : *j'ai prévenu*...

PARTICIPE PASSÉ EN « -ERT »

■ OUVRIR

j'	ai	ouvert
tu	as	ouvert
il/elle	a	ouvert
nous	avons	ouvert
vous	avez	ouvert
ils/elles	ont	ouvert

Et :
découvrir : *j'ai découvert*
souffrir : *j'ai souffert*
offrir : *j'ai offert*...

PARTICIPE PASSÉ EN « -IS »

■ ACQUÉRIR

j'	ai	acquis
tu	as	acquis
il/elle	a	acquis
nous	avons	acquis
vous	avez	acquis
ils/elles	ont	acquis

Et :
conquérir : *j'ai conquis*
requérir : *j'ai requis*...

1   **Conjuguez au passé composé.**

1. *finir*   Vous _____ votre travail ?

2. *courir*   Nous _____ derrière elle.

3. *ouvrir*   Elle _____ un magasin.

4. *recueillir*   Il _____ un chien perdu.

5. *obtenir*   Je _____ l'autorisation.

6. *acquérir*   Ils _____ un savoir-faire.

2   **Complétez au passé composé.**

1. *regarder – dormir*   On _____ un film à la télévision puis on _____ .

2. *ouvrir – découvrir*   Ils _____ son courrier et ils _____ une lettre d'amour.

3. *cueillir – laisser*   Nous _____ les fruits mûrs mais nous _____ les verts.

4. *finir – servir*   Je _____ de préparer le dîner et je _____ les apéritifs.

5. *essayer – réussir*   Tu _____ de passer l'examen et tu _____ ! Bravo !

3   **Répondez au passé composé avec un verbe de la liste suivante et continuez librement.**

     appartenir – courir – dormir – offrir

1. Tu as fait du sport hier matin ?   Oui, j' _____ .

2. Cet objet est ancien ?   Oui, il _____ .

3. Que leur avez-vous donné à Noël ?   Nous _____ .

4. Ils ont passé la nuit chez vous ?   Non, ils _____ .

4   **Complétez au passé composé et faites l'accord du participe passé si nécessaire.**

1. *retenir* – Nous _____ 2 places sur le vol 212. – Vous les _____ à quel nom ?

2. *réfléchir* – Vous _____ à la question ?   – Bien sûr, j' y _____ .

3. *soutenir* – Patrick _____ sa thèse.   – Quand est-ce qu'il l'_____ ?

4. *obtenir* – Tu _____ des billets ?   – Oui, j'en _____ deux.

5   **Mettez au passé composé.**

Quand elle ouvre la porte, elle découvre le cadavre. Elle court au commissariat de police. Les policiers l'accueillent mal. Elle leur explique les faits mais elle sent un climat de suspicion. Alors elle leur ment…

_____

_____

6   **Remplacez le verbe souligné par un verbe équivalent conjugué au passé composé.**

     acquérir – conquérir – accueillir – vieillir

1. Chantal n'a pas rajeuni.   _____

2. Mon oncle a acheté une propriété.   _____

3. Tout le monde nous a reçus gentiment.   _____

4. Son intelligence a séduit le public.   _____

Les verbes en *-IRE*

PARTICIPE PASSÉ EN « -I »

■ RIRE

j'	ai	ri
tu	as	ri
il/elle	a	ri
nous	avons	ri
vous	avez	ri
ils/elles	ont	ri

Et :
sourire : *j'ai souri*

PARTICIPE PASSÉ EN « -U »

■ LIRE

j'	ai	lu
tu	as	lu
il/elle	a	lu
nous	avons	lu
vous	avez	lu
ils/elles	ont	lu

Et :
relire : *j'ai relu*
élire : *j'ai élu*

⚠ • Le verbe **suffire**, conjugué au présent comme **conduire**, a son participe passé en « **-i** » :
*Cela **a suffi** pour la rendre heureuse.*
• Le verbe **nuire**, conjugué au présent comme **conduire**, a un participe passé en « **-i** » :
*Cet incident **a nui** à sa réputation.*

PARTICIPE PASSÉ EN « -IT »

■ DIRE

j'	ai	dit
tu	as	dit
il/elle	a	dit
nous	avons	dit
vous	avez	dit
ils/elles	ont	dit

Et :
interdire : *j'ai interdit*
prédire : *j'ai prédit*

■ CONDUIRE

j'	ai	conduit
tu	as	conduit
il/elle	a	conduit
nous	avons	conduit
vous	avez	conduit
ils/elles	ont	conduit

Et :
traduire : *j'ai traduit*
séduire : *j'ai séduit*
construire : *j'ai construit*
détruire : *j'ai détruit*

■ ÉCRIRE

j'	ai	écrit
tu	as	écrit
il/elle	a	écrit
nous	avons	écrit
vous	avez	écrit
ils/elles	ont	écrit

Et :
inscrire : *j'ai inscrit*
décrire : *j'ai décrit*
prescrire : *j'ai prescrit*

⚠ Le verbe **maudire**, conjugué au présent comme **finir**, a son participe passé
en « **-it** », comme **dire** :
*J'étais furieux et je l'**ai maudit(e)**.*

1 **Conjuguez au passé composé.**

1. *lire*   Elles _____ cette pièce de théâtre.

2. *écrire*   Tu _____ un livre ?

3. *conduire*   Il _____ trop vite.

4. *sourire*   Nous _____ pour la photo.

5. *dire*   On _____ du bien d'elle.

6. *élire*   Vous _____ un candidat ?

2 **Répondez librement avec le verbe de la question.**

1. Vous avez déjà lu des poèmes en français ? _____

2. Vous avez déjà traduit des textes en latin ? _____

3. Vous avez déjà écrit une pétition ? _____

4. On vous a déjà prédit votre avenir ? _____

5. Vous avez déjà conduit un camion ? _____

3 **Mettez au passé composé.**

1. Les spectateurs rient à la fin du film. _____

2. Vous ne dites pas la vérité. _____

3. Nous conduisons toute la nuit. _____

4. Tu ne relis pas ton devoir ? _____

5. À qui écris-tu ? _____

4 **Complétez au passé composé. Attention à l'accord du participe passé !**

1. La maison que mes parents _____ (*construire*) est en Normandie.

2. La personne qui vous _____ (*sourire*) est le président-directeur général.

3. Les chansons que nous _____ (*traduire*) étaient en espagnol.

4. L'organisateur _____ (*inscrire*) le nom de tous les participants.

5 **Faites des phrases au passé composé avec les éléments proposés selon le modèle.**

Les délégués / le comité	construire	un représentant / un président
Les étudiants / le journaliste	interdire	les déclarations / le professeur
L'architecte / les employés	élire	un centre commercial / une salle de sport
Les autorités / la police	contredire	la manifestation / la réunion

Les étudiants ont contredit le professeur. _____

_____

_____

Les verbes en *-DRE*

PARTICIPE PASSÉ EN « -IS »

◼ PRENDRE

j'	ai	pris
tu	as	pris
il/elle	a	pris
nous	avons	pris
vous	avez	pris
ils/elles	ont	pris

Et :
apprendre : *j'ai appris*
comprendre : *j'ai compris*
reprendre : *j'ai repris*
surprendre : *j'ai surpris*
entreprendre : *j'ai entrepris*

PARTICIPE PASSÉ EN « -U »

◼ ATTENDRE

j'	ai	attendu
tu	as	attendu
il/elle	a	attendu
nous	avons	attendu
vous	avez	attendu
ils/elles	ont	attendu

◼ COUDRE

j'	ai	cousu
tu	as	cousu
il/elle	a	cousu
nous	avons	cousu
vous	avez	cousu
ils/elles	ont	cousu

◼ RÉSOUDRE

j'	ai	résolu
tu	as	résolu
il/elle	a	résolu
nous	avons	résolu
vous	avez	résolu
ils/elles	ont	résolu

Et :
entendre : *j'ai entendu*   prétendre : *j'ai prétendu*   vendre : *j'ai vendu*
défendre : *j'ai défendu*   confondre : *j'ai confondu*...   répondre : *j'ai répondu*
perdre : *j'ai perdu*

⚠ **Dissoudre** et **absoudre** ont leur participe passé en « **-us** » :
*Le président **a dissous** l'Assemblée nationale.*

PARTICIPE PASSÉ EN « -T »

◼ PEINDRE

j'	ai	peint
tu	as	peint
il/elle	a	peint
nous	avons	peint
vous	avez	peint
ils/elles	ont	peint

◼ PLAINDRE

j'	ai	plaint
tu	as	plaint
il/elle	a	plaint
nous	avons	plaint
vous	avez	plaint
ils/elles	ont	plaint

◼ REJOINDRE

j'	ai	rejoint
tu	as	rejoint
il/elle	a	rejoint
nous	avons	rejoint
vous	avez	rejoint
ils/elles	ont	rejoint

Et :
éteindre : *j'ai éteint*   craindre : *j'ai craint*
atteindre : *j'ai atteint*   joindre : *j'ai joint*...

1 Conjuguez au passé composé.

1. *attendre* Tu _____ les résultats ? **4.** *prendre* Je _____ le train.

2. *coudre* Elle _____ sa robe de mariée. **5.** *résoudre* Il _____ la question.

3. *peindre* Il _____ des portraits. **6.** *rejoindre* Ils _____ leurs amis.

2 Finissez les phrases au passé composé selon le modèle.

D'habitude...	*Mais cette fois...*

François prend les clés. *il n'a pas pris les clés.*

1. tu comprends les exercices. _____

2. vous prenez de bonnes décisions. _____

3. nous attendons la fin du film. _____

4. je réponds aux lettres. _____

5. ses parents résolvent les problèmes. _____

6. Joëlle coud à la main. _____

3 Complétez avec le verbe qui convient conjugué au passé composé et reliez les éléments.

répondre – prendre – attendre – entendre

1. _____-vous _____ la nouvelle ? **a.** Non, nous n'avons pas fixé de date.

2. ___-tu _____ à cette annonce ? **b.** Oui, et il était furieux !

3. ____-t-il _____ longtemps ? **c.** Pas encore, mais je vais le faire.

4. _____-vous _____ rendez-vous ? **d.** Non, nous n'avons pas écouté la radio.

4 Complétez au passé composé.

1. On _____ (*entendre*) dire qu'il émigrait au Canada.

2. Je n'ai pas de machine à coudre : je _____ (*coudre*) les rideaux à la main.

3. Ce couple _____ (*résoudre*) ses problèmes grâce à une thérapie.

4. Claude _____ (*surprendre*) sa famille car il _____ (*rejoindre*) l'armée.

5. Picasso _____ (*ne pas peindre*) ce tableau : c'est un faux.

5 Mettez au passé composé à la forme négative et continuez librement.

Le samedi, elle prend son petit déjeuner à 10 heures, elle répond au courrier et elle fait son marché. Elle apprend les dernières nouvelles du quartier, puis elle rejoint une amie dans un café et elles prennent l'apéritif ensemble.

Hier, elle était malade, elle n' _____

_____

_____

Les verbes en *-AIRE / -OIRE*

PARTICIPE PASSÉ EN « -U »

PLAIRE

j'	ai	plu
tu	as	plu
il/elle	a	plu
nous	avons	plu
vous	avez	plu
ils/elles	ont	plu

Et :
déplaire...

BOIRE

j'	ai	bu
tu	as	bu
il/elle	a	bu
nous	avons	bu
vous	avez	bu
ils/elles	ont	bu

CROIRE

j'	ai	cru
tu	as	cru
il/elle	a	cru
nous	avons	cru
vous	avez	cru
ils/elles	ont	cru

⚠ Le verbe **croire** a son participe passé en « u » sans accent, mais le verbe **croître** a un accent circonflexe sur le « **u** ». Cet accent disparaît au féminin ou au pluriel et n'apparaît pas dans les composés **(s')accroître** et **décroître** :
Le chômage s'est accru.

PARTICIPE PASSÉ EN « -AIT »

FAIRE

j'	ai	fait
tu	as	fait
il/elle	a	fait
nous	avons	fait
vous	avez	fait
ils/elles	ont	fait

Et :
satisfaire : *j'ai satisfait*
défaire : *j'ai défait*
distraire : *j'ai distrait*
extraire : *j'ai extrait*...

SOUSTRAIRE

j'	ai	soustrait
tu	as	soustrait
il/elle	a	soustrait
nous	avons	soustrait
vous	avez	soustrait
ils/elles	ont	soustrait

1   Conjuguez au passé composé.

1. *plaire*   Il _____ à son futur employeur.   **4.** *faire*   Tu _____ la fête ?

2. *soustraire*   Je _____ 10 % du total.   **5.** *boire*   On _____ de la vodka.

3. *croire*   Ils _____ à sa promesse.   **6.** *satisfaire*   Nous _____ votre demande.

2   Complétez au passé composé.

1. *manger – boire*   Nous _____ du caviar et nous _____ du champagne.

2. *plaire – déplaire*   La pièce m'_____ mais les décors m'_____ .

3. *douter – ne pas croire*   Je _____ de sa sincérité : en fait je _____ à son histoire.

4. *ajouter – soustraire*   On _____ les taxes mais on _____ votre réduction.

5. *détruire – faire*   Ils _____ les maisons et _____ un centre commercial.

3   Complétez au passé composé avec le verbe « faire » suivi d'un complément qui convient.

1. Virginie _____ dans les magasins.

2. Jacques _____ chez le garagiste.

3. Antoine et Guirec _____ dans un stade.

4. Élise et moi _____ pour l'anniversaire de Pierre.

5. Et vous ? Qu'est-ce que vous _____ ?

4   Complétez au passé composé.

– Tu _____ Joël quand il _____ d'inviter tout le monde chez lui ?   *croire – proposer*

– Moi, je _____ rêver... Benjamin, tu _____ une drôle de tête...   *croire – faire*

– En fait, nous l'_____ à moitié. Ses exagérations nous _____ .   *croire – déplaire*

– Oui, il _____ sensation ! Tout le monde _____ qu'il plaisantait.   *faire – croire*

5   Remplacez les éléments soulignés par un verbe équivalent au passé composé.

   soustraire - distraire - extraire - déplaire

1. Ce spectacle ne m'a pas intéressé.   _____

2. Nous avons déduit cette somme.   _____

3. Il a amusé son petit frère en faisant le clown.   _____

4. Les médecins ont sorti la balle de son bras.   _____

6   Faites un bulletin météo pour la journée d'hier.

_____

_____

_____

Les verbes en *-TRE / -VRE / -URE / -PRE / -CRE*

PARTICIPE PASSÉ EN « -IS »

■ METTRE

j'	ai	mis
tu	as	mis
il/elle	a	mis
nous	avons	mis
vous	avez	mis
ils/elles	ont	mis

Et :
promettre : *j'ai promis*
permettre : *j'ai permis*
admettre : *j'ai admis*
transmettre : *j'ai transmis*
soumettre : *j'ai soumis*
émettre : *j'ai émis*

PARTICIPE PASSÉ EN « -I »

■ SUIVRE

j'	ai	suivi
tu	as	suivi
il/elle	a	suivi
nous	avons	suivi
vous	avez	suivi
ils/elles	ont	suivi

Et :
poursuivre : *j'ai poursuivi…*

PARTICIPE PASSÉ EN « -U »

■ CONNAÎTRE

j'	ai	connu
tu	as	connu
il/elle	a	connu
nous	avons	connu
vous	avez	connu
ils/elles	ont	connu

■ VIVRE

j'	ai	vécu
tu	as	vécu
il/elle	a	vécu
nous	avons	vécu
vous	avez	vécu
ils/elles	ont	vécu

■ CONCLURE

j'	ai	conclu
tu	as	conclu
il/elle	a	conclu
nous	avons	conclu
vous	avez	conclu
ils/elles	ont	conclu

Et :

reconnaître : *j'ai reconnu*   exclure : *j'ai exclu*
paraître : *j'ai paru*   convaincre : *j'ai convaincu*
apparaître : *j'ai apparu*   vaincre : *j'ai vaincu*
disparaître : *j'ai disparu*   interrompre : *j'ai interrompu*
battre : *j'ai battu*   corrompre : *j'ai corrompu…*
survivre : *j'ai survécu*

⚠ **Paraître** (et ses composés), qui se conjugue comme **connaître**, se conjugue avec l'auxiliaire **être** quand il marque le résultat de l'action, et non l'action elle même : *Ce livre **est paru** et il est disponible en librairie. / Ce livre **a paru** en 1998.*

⚠ **Inclure**, qui se conjugue comme **conclure**, a un participe passé en « **-us** » : *Dans ce prix, nous **avons inclus** les frais de déplacement.*

EXERCICES

1 Conjuguez au passé composé.

1. *suivre*   Ils _____ les instructions.
2. *conclure*   Il _____ le marché.
3. *connaître*   Elle _____ son mari en Suisse.
4. *vivre*   Nous _____ 20 ans ensemble.
5. *mettre*   Je _____ le couvert.
6. *convaincre* Vous _____ les autres ?

2 Complétez avec le verbe qui convient conjugué au passé composé et reliez les éléments.

vivre – suivre – interrompre – permettre – exclure – conclure

1. Il cuisine très bien :
2. Ils se serrent la main :
3. Elle parle le portugais couramment :
4. Il y a moins d'étudiants :
5. Tu ne viens plus au laboratoire :
6. Que faites-vous là ?

a. Personne ne vous _____ d'entrer.
b. Il _____ des cours de cuisine ?
c. Ils _____ un accord ?
d. Tu _____ tes recherches ?
e. Le professeur en _____ de son cours ?
f. Elle _____ au Portugal ?

3 Mettez au passé composé.

Dans cette école on remet le dossier de l'élève aux professeurs. Ils émettent un avis sur le candidat, puis transmettent le dossier au directeur. Celui-ci l'examine et soumet le candidat à un entretien. Si ses réponses satisfont le directeur et si le candidat promet de respecter le règlement de l'école, il est admis en première année.

Hier, Claude a été accepté dans cette école. On _____

_____

_____

_____

4 Décrivez comment vous êtes entré(e) dans votre école, votre université ou votre entreprise.

_____

_____

_____

5 Complétez au passé composé.

1. En 1998, les Français _____ (*suivre*) avec intérêt la Coupe du monde de football.

   Ils _____ (*vivre*) des moments inoubliables : leur équipe _____ (*vaincre*) le Brésil !

2. L'article _____ (*paraître*) dans la presse lundi dernier : l'entreprise _____ (*ne pas accroître*) sa production. Le P-DG _____ (*commettre*) des erreurs de gestion, mais _____ (*ne pas reconnaître*) qu'il avait tort. Il _____ (*compromettre*) gravement sa carrière.

Les verbes en *-OIR*

PARTICIPE PASSÉ EN « -U »

■ **PLEUVOIR** : il a plu   ■ **FALLOIR** : il a fallu

■ POUVOIR

j'	ai	pu
tu	as	pu
il/elle	a	pu
nous	avons	pu
vous	avez	pu
ils/elles	ont	pu

■ VOULOIR

j'	ai	voulu
tu	as	voulu
il/elle	a	voulu
nous	avons	voulu
vous	avez	voulu
ils/elles	ont	voulu

■ DEVOIR

j'	ai	dû
tu	as	dû
il/elle	a	dû
nous	avons	dû
vous	avez	dû
ils/elles	ont	dû

■ SAVOIR

j'	ai	su
tu	as	su
il/elle	a	su
nous	avons	su
vous	avez	su
ils/elles	ont	su

⚠ Notez l'accent sur le participe passé de **devoir**.

■ VOIR

j'	ai	vu
tu	as	vu
il/elle	a	vu
nous	avons	vu
vous	avez	vu
ils/elles	ont	vu

■ RECEVOIR

j'	ai	reçu
tu	as	reçu
il/elle	a	reçu
nous	avons	reçu
vous	avez	reçu
ils/elles	ont	reçu

■ ÉMOUVOIR

j'	ai	ému
tu	as	ému
il/elle	a	ému
nous	avons	ému
vous	avez	ému
ils/elles	ont	ému

Et :
revoir : *j'ai revu*
prévoir : *j'ai prévu*
apercevoir : *j'ai aperçu*
décevoir : *j'ai déçu*
concevoir : *j'ai conçu*
valoir : *j'ai valu...*

♪ Notez la cédille de **reçu** pour garder le son [s] devant le « **-u** ».

1   **Conjuguez au passé composé.**

1. *pouvoir*   Nous _____ le voir.

2. *pleuvoir*   Il _____ toute la journée.

3. *savoir*   Tu _____ lui parler.

4. *recevoir*   Je _____ une réponse.

5. *vouloir*   Elle _____ m'aider.

6. *devoir*   Ils _____ partir.

7. *voir*   On _____ l'accident.

8. *prévoir*   Vous _____ quelque chose ?

2   **Complétez au passé composé.**

1. *ne pas savoir – devoir*   Elle *n'a pas su* ouvrir la porte. Elle *a dû* rester dehors.

2. *ne pas pouvoir – ne pas voir*   Tu _____ entrer au cinéma ? Tu _____ le film ?

3. *ne pas vouloir – falloir*   Ils _____ rester : il _____ les raccompagner.

4. *ne pas pouvoir – ne pas savoir*   Nous _____ lui dire. Nous _____ trouver les mots.

5. *ne pas pouvoir – ne pas recevoir*   On _____ signer. On _____ le contrat.

3   **Remplacez les éléments soulignés par un verbe équivalent au passé composé.**

1. Tu <u>as été obligé</u> de t'excuser ?   _____

2. Il <u>n'est pas tombé une goutte de pluie</u>.   _____

3. Ils <u>ont été capables de</u> répondre ?   _____

4. <u>On a dû</u> fermer le jardin public.   _____

5. Sa remarque m'<u>a</u> beaucoup <u>touché</u>.   _____

4   **Répondez librement aux questions en trouvant une excuse.**

1. Pourquoi n'avez-vous pas fini votre exercice ? _____

2. Pourquoi n'avez-vous pas payé vos factures ? _____

3. Pourquoi n'avez-vous pas dit bonjour à votre voisin ? _____

5   **Complétez cette conversation au passé composé.**

– Je _____ Adrienne depuis une éternité ! Je _____   *ne pas voir – essayer*

de l'appeler plusieurs fois chez elle mais personne n'_____ .   *répondre*

Je _____ passer chez elle mais je _____ parce que   *vouloir – ne pas pouvoir*

je _____ trop de travail cette semaine...   *avoir*

– Mais... Tu _____ ? Elle _____ déménager car elle   *ne pas savoir – devoir*

_____ des problèmes avec son propriétaire. Elle _____   *avoir – ne pas pouvoir*

prévenir tout le monde. Nous l'_____ par sa collègue de   *savoir*

bureau que nous _____ hier.   *voir*

6   **Racontez un événement inattendu qui vous est arrivé récemment.**

AVEC L'AUXILIAIRE *ÊTRE*

- Pour les verbes suivants et tous les verbes pronominaux, le passé composé se forme avec **être** au présent de l'indicatif auquel on ajoute le **participe passé** du verbe à conjuguer.
- Tous les verbes en *-er* ont leur participe passé en « **é** », mais les autres verbes peuvent avoir un participe passé en « **-é** », « **-i** », « **-u** », etc.
- Ce participe passé **s'accorde** avec le sujet du verbe :

  ***Elle** est arrivée ce matin et **ils** sont repartis ensemble.*

PARTICIPE PASSÉ EN « -É »

■ ALLER

je	suis	allé(e)
tu	es	allé(e)
il/elle	est	allé(e)
nous	sommes	allé(e)s
vous	êtes	allé(e)(s)
ils/elles	sont	allé(e)s

■ ARRIVER

je	suis	arrivé(e)
tu	es	arrivé(e)
il/elle	est	arrivé(e)
nous	sommes	arrivé(e)s
vous	êtes	arrivé(e)(s)
ils/elles	sont	arrivé(e)s

■ NAÎTRE

je	suis	né(e)
tu	es	né(e)
il/elle	est	né(e)
nous	sommes	né(e)s
vous	êtes	né(e)(s)
ils/elles	sont	né(e)s

Et :
(r)entrer : *je suis (r)entré(e)*　(re)tomber : *je suis (re)tombé(e)*　retourner : *je suis retourné(e)*
rester : *je suis resté(e)*　(re)passer : *je suis (re)passé(e)*　décéder : *il/elle est décédé(e)…*

PARTICIPE PASSÉ EN « -I »

■ PARTIR

je	suis	parti(e)
tu	es	parti(e)
il/elle	est	parti(e)
nous	sommes	parti(e)s
vous	êtes	parti(e)(s)
ils/elles	sont	parti(e)s

Et :
repartir : *je suis reparti(e)*

■ SORTIR

je	suis	sorti(e)
tu	es	sorti(e)
il/elle	est	sorti(e)
nous	sommes	sorti(e)s
vous	êtes	sorti(e)(s)
ils/elles	sont	sorti(e)s

Et :
ressortir : *je suis ressorti(e)…*

⚠ Les verbes **monter**, **(r)entrer**, **(re)passer**, **retourner**, **sortir** et **ressortir** se conjuguent avec **avoir** quand ils sont suivis d'un complément d'objet direct :
*Nous **avons** monté les valises. / Nous **sommes** montés au 1ᵉʳ étage.*
*Elle **a** passé des heures à lire son texte. / Elle **est** passée me voir lundi soir.*
*Elles **ont** sorti le papier de leur poche. / Elles **sont** sorties dîner avec des amis.*
Quand ces verbes se conjuguent avec **avoir**, l'accord du participe passé suit les mêmes règles que pour les autres verbes conjugués avec **avoir** (voir p. 60) :
*Les valises qu'elle **a** montées étaient lourdes.*

1 Conjuguez au passé composé et faites l'accord du participe passé.

1. *arriver* Nous _____ il y a 3 jours.   **4.** *naître*   Il _____ en 1971.

2. *aller*   Aurélia, tu _____ à la poste ?   **5.** *sortir*   Ils _____ tard.

3. *partir*   Je _____ en voyage.   **6.** *retourner* Vous _____ chez vous ?

2 Écrivez cette biographie au passé composé.

Nom : Gabriel Dorlan

Date de naissance : 1965   Gabriel Dorlan *est né* en 1965.

Enfance heureuse   _____ (*avoir*)

Baccalauréat : juin 1983   _____ (*passer*)

Départ en Inde : septembre 1983   _____ (*partir*)

Maladie : janvier 1984   _____ (*tomber*)

Retour en France : mai 1984   _____ (*rentrer*)

Entrée à Sciences Po : octobre 1984   _____ (*entrer*)

Sortie de Sciences Po : juin 1986   _____ (*sortir*)

3 Faites votre autobiographie.

Je suis né(e) _____

_____

_____

4 « Être » ou « avoir » ? Reliez les éléments pour former des phrases.

1. Nous sommes   **a.** monté une petite entreprise avec trois amis.

2. Nous avons   **b.** retourné prendre de l'essence à la station-service ?

3. Vous êtes   **c.** passé au secrétariat chercher ton dossier ?

4. Vous avez   **d.** montés par l'ascenseur.

5. Tu as   **e.** retourné le paquet à l'envoyeur ?

6. Tu es   **f.** rentré la table du jardin ?

5 Mettez au passé composé et faites l'accord du participe passé si nécessaire.

1. *entrer – sortir*   Ils _____ dans la banque et ils _____ leur revolver.

2. *arriver – repartir*   Elles _____ à 18 h et elles _____ à 20 h.

3. *sortir – monter*   Elle _____ des sacs de la voiture et elle les _____ chez elle.

4. *passer – arriver*   Nous _____ par l'autoroute et nous _____ tôt.

5. *passer – rentrer*   On _____ 3 heures à discuter et on _____ fatigués.

PARTICIPE PASSÉ EN « -U »

■ VENIR

je	suis	venu(e)
tu	es	venu(e)
il/elle	est	venu(e)
nous	sommes	venu(e)s
vous	êtes	venu(e)(s)
ils/elles	sont	venu(e)s

Et :
revenir : *je suis revenu(e)*
devenir : *je suis devenu(e)*
intervenir : *je suis intervenu(e)*
parvenir : *je suis parvenu(e)...*

■ DESCENDRE

je	suis	descendu(e)
tu	es	descendu(e)
il/elle	est	descendu(e)
nous	sommes	descendu(e)s
vous	êtes	descendu(e)(s)
ils/elles	sont	descendu(e)s

⚠ Les verbes **prévenir**, **contrevenir**, **circonvenir**, conjugués sur **venir**, prennent l'auxiliaire **avoir** :
*Quand il a vu le feu, il **a** prévenu les voisins.*

⚠ Le verbe **descendre** se conjugue avec l'auxiliaire **avoir** quand il est suivi d'un complément d'objet direct :
*Elle **a** descendu les bagages. Elle **les a** descendu**s** à 7 heures du matin.*
*Elle **est** descendue dans un bel hôtel.*

PARTICIPE PASSÉ EN « -ORT »

■ MOURIR

je	suis	mort(e)
tu	es	mort(e)
il/elle	est	mort(e)
nous	sommes	mort(e)s
vous	êtes	mort(e)(s)
ils/elles	sont	mort(e)s

⚠ **Mort(e)** peut être aussi un adjectif : « je suis morte de fatigue » n'est pas un passé composé, mais un présent.

1 Conjuguez au passé composé et faites l'accord du participe passé.

1. *venir*   Il _____ te voir, dimanche ?   **4.** *descendre* Ils _____ au sous-sol.

2. *devenir* Elle _____ célèbre.   **5.** *revenir*   Vous _____ quel jour ?

3. *mourir* Il _____ d'un cancer.   **6.** *prévenir* Tu _____ tes parents ?

2 Faites l'accord du participe passé, puis répondez à la forme négative.

1. Pierre et Marie sont venu__ te dire bonjour ?   _____

2. Est-ce que les filles sont descendu__ de la voiture ?   _____

3. Cette actrice est devenu__ célèbre ?   _____

4. Vous êtes revenu__ tous les deux comme prévu ?   _____

5. Est-ce qu'Indira Gandhi est mort__ en 1992 ?   _____

6. Est-ce que tu as prévenu__ le médecin ?   _____

3 Mettez au passé composé.

1. Je viens chercher mes photos.   _____

2. Nous descendons à cet hôtel.   _____

3. Michèle revient déjeuner à midi.   _____

4. Les enfants deviennent raisonnables.   _____

5. En 1980 il meurt dans un accident.   _____

6. Vous ne parvenez pas à le joindre ?   _____

4 Faites des titres de journaux au passé composé à partir des éléments donnés selon le modèle.

Le président / revenir de Chine – La navette spatiale / redescendre sur la Terre
Un SDF / devenir milliardaire – 1 500 Français / mourir dans des accidents de la route
Le Premier ministre / intervenir dans les négociations – Les lycéens / descendre dans la rue
Les syndicats / parvenir à un accord

Le président est revenu de Chine _____

_____

_____

_____

5 Quels événements se sont produits ces derniers mois dans votre pays, dans votre lycée ou dans votre entreprise ?

_____

_____

_____

_____

Les verbes pronominaux

* Tous les verbes pronominaux se conjuguent avec **être**.

CONJUGAISON

◾ SE DÉPÊCHER

je	me	suis	dépêché(e)
tu	t'	es	dépêché(e)
il/elle	s'	est	dépêché(e)
nous	nous	sommes	dépêché(e)s
vous	vous	êtes	dépêché(e)(s)
ils/elles	se	sont	dépêché(e)s

Et :
s'enrichir : *je me suis enrichi(e)*
se souvenir : *je me suis souvenu(e)*
se servir : *je me suis servi(e)*
s'inscrire : *je me suis inscrit(e)*
se perdre : *je me suis perdu(e)*
se taire : *je me suis tu(e)*
se plaindre : *je me suis plaint(e)*
se distraire : *je me suis distrait(e)*
se battre : *je me suis battu(e)*
s'asseoir : *je me suis assis(e)*
s'apercevoir : *je me suis aperçu(e)*

◾ SE RENCONTRER

nous	nous	sommes	rencontré(e)s
vous	vous	êtes	rencontré(e)s
ils/elles	se	sont	rencontré(e)s

◾ SE BATTRE

nous	nous	sommes	battu(e)s
vous	vous	êtes	battu(e)(s)
ils/elles	se	sont	battu(e)s

⚠ La conjugaison des verbes pronominaux **réciproques** n'existe qu'aux 3 personnes du **pluriel**.

ACCORD

◾ Verbes réfléchis et réciproques

* Leur participe passé s'accorde avec le pronom complément (*me, te, se, nous, vous, se*) si celui-ci est **complément d'objet direct** (COD) du verbe :
  *Elle s'est lav**ée**. Ils se sont endorm**is**. Nous nous sommes v**us**.*

⚠ *Elle s'est cass**é** la jambe* : pas d'accord parce que le COD (*la jambe*) est placé après le verbe.

* Leur participe passé ne s'accorde pas avec le pronom complément si celui-ci est **complément d'objet indirect** (COI) du verbe :
  *Elle s'est fai**t** mal. Ils se sont parl**é**.*

◾ Verbes toujours pronominaux

* Leur participe passé s'accorde avec le sujet (*s'en aller, s'enfuir, s'envoler, s'évanouir, se souvenir*, etc.) :
  *Ils se sont enfu**is**. Elle s'est évanou**ie**. Elles se sont souven**ues**.*
  *Ils se sont méfi**és**.*

1 Conjuguez au passé composé à la forme affirmative, puis négative.

1. *se réveiller* Nous _____ . _____

2. *s'habituer* Elle _____ . _____

3. *s'arrêter* Le bus _____ . _____

4. *s'asseoir* Ils _____ . _____

5. *se perdre* Je _____ . _____

2 Conjuguez les verbes proposés au passé composé et faites l'accord des participes passés.

Ce matin-là, elle _____ comme d'habitude et _____ un café. *se lever – se préparer*

Elle _____ les cheveux et elle _____ les dents. *se laver – se brosser*

Lui, il _____ et _____ . *se raser – s'habiller –*

Puis, ils _____ de sortir. *se dépêcher*

Ils _____ à la boulangerie où ils _____ des croissants. *s'arrêter – s'acheter*

Elle _____ vers le métro et elle _____ . *se précipiter – tomber*

Elle _____ la cheville. *se casser*

3 Dites si le pronom souligné est COD ou COI et faites l'accord des participes passés.

COD / COI

1. Elle s'est perdu__ et elle s'est cru__ en pleine jungle. ____ / ____

2. Ils se sont rencontré__ et ils se sont souri__. ____ / ____

3. Nous nous sommes trompé__ et nous nous sommes excusé__. ____ / ____

4. Ils se sont battu__ puis se sont parlé__. ____ / ____

5. Elle s'est fait__ mal et elle s'est soigné__. ____ / ____

4 Mettez les verbes proposés au passé composé et faites l'accord des participes passés.

Pourquoi se séparer ?

Nous _____ (se voir) Quand on _____ (se connaître)

Nous _____ (se plaire) Quand on _____ (se reconnaître)

Nous _____ (s'aimer) Pourquoi se perdre de vue ?

Nous _____ (se séparer) Quand on _____ (se retrouver)

Un jour on _____ (se revoir) Quand on _____ (s'aimer)

On _____ (se reconnaître) Pourquoi se séparer ?

(D'après la chanson de Jeanne Moreau)

LE PLUS-QUE-PARFAIT DE L'INDICATIF

- Le plus-que-parfait se forme avec **avoir** ou **être** à l'**imparfait** auquel on ajoute le **participe passé** du verbe à conjuguer.

Les verbes *ÊTRE*, *AVOIR*, *FAIRE*, *ALLER*, *VENIR* et les verbes en *-ER*

- Le choix de l'auxiliaire et les règles d'accord du participe passé sont **les mêmes** que pour le passé composé (voir pp. 60, 74 et 78).

■ ÊTRE

j'	avais	été
tu	avais	été
il/elle	avait	été
nous	avions	été
vous	aviez	été
ils/elles	avaient	été

■ AVOIR

j'	avais	eu
tu	avais	eu
il/elle	avait	eu
nous	avions	eu
vous	aviez	eu
ils/elles	avaient	eu

■ FAIRE

j'	avais	fait
tu	avais	fait
il/elle	avait	fait
nous	avions	fait
vous	aviez	fait
ils/elles	avaient	fait

■ ALLER

j'	étais	allé(e)
tu	étais	allé(e)
il/elle	était	allé(e)
nous	étions	allé(e)s
vous	étiez	allé(e)(s)
ils/elles	étaient	allé(e)s

■ VENIR

j'	étais	venu(e)
tu	étais	venu(e)
il/elle	était	venu(e)
nous	étions	venu(e)s
vous	étiez	venu(e)(s)
ils/elles	étaient	venu(e)s

■ PARLER

j'	avais	parlé
tu	avais	parlé
il/elle	avait	parlé
nous	avions	parlé
vous	aviez	parlé
ils/elles	avaient	parlé

■ SE DÉPÊCHER

je	m'étais	dépêché(e)
tu	t'étais	dépêché(e)
il/elle	s'était	dépêché(e)
nous	nous étions	dépêché(e)s
vous	vous étiez	dépêché(e)(s)
ils/elles	s'étaient	dépêché(e)s

1   Transformez les passés composés en plus-que-parfaits.

1. Il a été jaloux. _____

2. J'ai eu des ennuis. _____

3. Ils ont fait des erreurs. _____

4. Tu es allé à Lyon. _____

5. Vous êtes venus seuls. _____

6. Nous l'avons jeté. _____

2   Conjuguez « avoir » ou « être » au plus-que-parfait.

1. Je _____ (*être*) nerveuse avant les résultats.

2. Ils _____ (*ne pas avoir*) de nouvelles pendant six mois.

3. Tu _____ (*ne pas être*) capable de nous répondre à cette époque.

4. Vous _____ (*avoir*) le courage d'arrêter de fumer l'hiver d'avant.

3   Mettez le verbe proposé au plus-que-parfait et faites l'accord du participe passé.

1. Elle décorait les gâteaux qu'elle _____ le matin. (*faire*)

2. Nous avons passé des vacances dans la région où nous _____ deux ans avant. (*aller*)

3. Il nous a demandé pourquoi nous _____ plus tôt. (*ne pas venir*)

4. Les garçons ont détruit les châteaux de sable qu'elles _____ . (*faire*)

5. Je suis montée à la tour Rockefeller ; je _____ aussi haut de ma vie. (*ne jamais monter*)

6. Ils n'ont pas voulu avouer qu'ils _____ dans l'eau. (*tomber*)

4   Utilisez le plus-que-parfait pour dire ce que vous avez fait avant de partir en voyage.

Avant de partir en voyage :

1. se lever très tôt la veille du départ : _____ .

2. passer au consulat chercher mon visa : _____ .

3. acheter des cadeaux pour la famille d'accueil : _____ .

4. payer la facture de téléphone : _____ .

5. appeler mes amis pour leur dire au revoir : _____ .

6. se renseigner sur le numéro de l'aérogare : _____ .

7. vérifier de ne rien avoir oublié : _____ .

5   Utilisez le plus-que-parfait pour exprimer une antériorité selon le modèle.

les élections / président = *Il avait gagné les élections ; il était président.*

1. gagner la finale / champions du monde = _____ .

2. nager toute la journée / être morte de fatigue = _____ .

3. se déguiser en monstres / faire peur à tout le monde = _____ .

4. beaucoup travailler / se reposer = _ _____ .

5. se marier / passer leur lune de miel au soleil = _____ .

Les verbes en *-IR*

- Le plus-que-parfait se forme avec **avoir** ou **être** à l'**imparfait** auquel on ajoute le **participe passé** du verbe à conjuguer.
- Le choix de l'auxiliaire et les règles d'accord du participe passé sont les mêmes que pour le passé composé (voir pp. 60, 74 et 78).

▩ FINIR

j'	avais	fini
tu	avais	fini
il/elle	avait	fini
nous	avions	fini
vous	aviez	fini
ils/elles	avaient	fini

Et :
haïr : *j'avais haï.*

▩ SE SOUVENIR

je	m'étais	souvenu(e)
tu	t'étais	souvenu(e)
il/elle	s'était	souvenu(e)
nous	nous étions	souvenu(e)s
vous	vous étiez	souvenu(e)(s)
ils/elles	s'étaient	souvenu(e)(s)

Et :
s'enrichir : *je m'étais enrichi(e)*
se servir : *je m'étais servi(e)*
s'enfuir : *je m'étais enfui(e)*

▩ DORMIR

j'	avais	dormi
tu	avais	dormi
il/elle	avait	dormi
nous	avions	dormi
vous	aviez	dormi
ils/elles	avaient	dormi

Et :
cueillir : *j'avais cueilli*
fuir : *j'avais fui*
courir : *j'avais couru*
tenir : *j'avais tenu*
acquérir : *j'avais acquis*

▩ OUVRIR

j'	avais	ouvert
tu	avais	ouvert
il/elle	avait	ouvert
nous	avions	ouvert
vous	aviez	ouvert
ils/elles	avaient	ouvert

Et :
offrir : *j'avais offert*
couvrir : *j'avais couvert*
découvrir : *j'avais découvert*
souffrir : *j'avais souffert*

▩ PARTIR

j'	étais	parti(e)
tu	étais	parti(e)
il/elle	était	parti(e)
nous	étions	parti(e)s
vous	étiez	parti(e)(s)
ils/elles	étaient	parti(e)s

Et :
sortir : *j'étais sorti(e)*
venir : *j'étais venu(e)*
devenir : *j'étais devenu(e)*
mourir : *j'étais mort(e)*

1   **Rapportez le contenu de ce message en utilisant le plus-que-parfait.**

Salut ! Je suis morte de fatigue : j'ai couru toute la journée. Marion est venue à la maison et nous sommes sorties faire des courses. Comme d'habitude, Marion a tenu à aller dans les Grands Magasins. Au fait, je ne suis pas parvenue à joindre Sophie. À ce soir. Agnès

Agnès lui a laissé un message et elle lui disait qu'elle... _____

_____

2   **Conjuguez au plus-que-parfait.**

1. Nous _____ (*ne pas finir*) avant la date prévue.

2. Quand je suis arrivé, ils _____ (*choisir*) un menu.

3. Elles _____ (*embellir*) d'une façon incroyable.

4. Je _____ (*mal réagir*) au nouveau traitement.

5. En apprenant la nouvelle, elle _____ (*s'évanouir*).

6. Quand nous sommes arrivés, le train _____ (*partir*).

7. Vous _____ (*ne pas sentir*) le danger ?

8. Quand la police est arrivée, les voleurs _____ (*s'enfuir*).

3   **Utilisez le plus-que-parfait pour exprimer le regret.**

1. Si seulement il _____ ! (*venir*)

2. Si seulement tu _____ ! (*se souvenir*)

3. Si seulement nous _____ la vérité ! (*découvrir*)

4. Si seulement ils _____ ! (*ne pas mentir*)

5. Si seulement vous _____ plus d'informations ! (*recueillir*)

6. Si seulement je _____ plus tôt ! (*sortir*)

4   **Utilisez le plus-que-parfait avec les éléments donnés pour exprimer une antériorité selon le modèle.**

cueillir des fleurs / lorsque / offrir à leur mère.

→ Lorsque les enfants avaient cueilli des fleurs, ils les offraient à leur mère.

1. ouvrir les fenêtres / quand / apercevoir la montagne au loin.

_____

2. finir le repas / dès que / regarder la télévision.

_____

3. accueillir le groupe / une fois que / faire visiter la ville.

_____

4. bien dormir / quand / être toujours de bonne humeur.

_____

Les verbes en -RE

- Le plus-que-parfait se forme avec **avoir** ou **être** à l'**imparfait** auquel on ajoute le **participe passé** du verbe à conjuguer.
- Le choix de l'auxiliaire et les règles de l'accord du participe passé sont les mêmes que pour le passé composé (voir pp. 60, 74 et 78).

■ DIRE

j'	avais	dit
tu	avais	dit
il/elle	avait	dit
nous	avions	dit
vous	aviez	dit
ils/elles	avaient	dit

Et :
conduire : *j'avais conduit*
écrire : *j'avais écrit*
distraire : *j'avais distrait*
rire : *j'avais ri*

■ CROIRE

j'	avais	cru
tu	avais	cru
il/elle	avait	cru
nous	avions	cru
vous	aviez	cru
ils/elles	avaient	cru

Et :
boire : *j'avais bu*
plaire : *j'avais plu*
lire : *j'avais lu*

■ S'INSCRIRE

je	m'étais	inscrit(e)
tu	t'étais	inscrit(e)
il/elle	s'était	inscrit(e)
nous	nous étions	inscrit(e)s
vous	vous étiez	inscrit(e)(s)
ils/elles	s'étaient	inscrit(e)s

Et :
se distraire : *je m'étais distrait(e)*
se taire : *je m'étais tu(e)*
se perdre : *je m'étais perdu(e)*
se battre : *je m'étais battu(e)*
se plaindre : *je m'étais plaint(e)*

■ ATTENDRE

j'	avais	attendu
tu	avais	attendu
il/elle	avait	attendu
nous	avions	attendu
vous	aviez	attendu
ils/elles	avaient	attendu

Et :
répondre : *j'avais répondu*
perdre : *j'avais perdu*
coudre : *j'avais cousu*
résoudre : *j'avais résolu*
peindre : *j'avais peint*
rejoindre : *j'avais rejoint*
connaître : *j'avais connu*
battre : *j'avais battu*
croître : *j'avais crû*
vivre : *j'avais vécu*
conclure : *j'avais conclu*
interrompre : *j'avais interrompu*
convaincre : *j'avais convaincu*
suivre : *j'avais suivi*

■ METTRE

j'	avais	mis
tu	avais	mis
il/elle	avait	mis
nous	avions	mis
vous	aviez	mis
ils/elles	avaient	mis

Et :
prendre : *j'avais pris*

■ NAÎTRE

j'	étais	né(e)
tu	étais	né(e)
il/elle	était	né(e)
nous	étions	né(e)s
vous	étiez	né(e)(s)
ils/elles	étaient	né(e)s

Et :
descendre : *j'étais descendu(e)*

1 Transformez les phrases au plus-que-parfait selon le modèle.

J'ai pris une décision.   Je ne savais pas que *tu avais pris une décision.*

1. On a interdit la circulation.   Je ne savais pas que _____

2. Elle s'est inscrite en fac de droit.   _____

3. Il a mis une petite annonce.   _____

4. Ils ont vendu leur voiture.   _____

5. Nous sommes nés en Australie.   _____

6. Je me suis battu contre eux.   _____

2 Complétez au plus-que-parfait.

1. *prendre*   Tu _____ de bonnes résolutions, mais tu ne les as pas tenues.

2. *croire*   J'_____ comprendre que tu acceptais, mais tu refuses !

3. *promettre*   Elle _____ d'envoyer cette lettre, mais elle ne l'a pas fait.

4. *apprendre*   Vous _____ sa démission et vous n'avez pas réagi ?

5. *dire*   Ils _____ qu'ils rentraient le 21, mais ils ne sont toujours pas là.

6. *se plaindre*   Nous _____ à la direction et ils se sont excusés.

7. *plaire*   La maison lui _____ et elle a essayé de l'acheter.

3 Mettez au plus-que-parfait.

Ne pas vivre à l'étranger, ne pas entendre parler de « cuisine légère », ne jamais conduire une 2CV, ne pas suivre des cours de littérature, ne pas lire Proust, ne pas voir des films de Godard.

Avant de venir en France, je n'avais pas vécu à l'étranger, je _____

_____

_____

4 Finissez les phrases au plus-que-parfait avec le verbe qui convient.

attendre – résoudre – perdre – boire – éteindre – disparaître

1. Elle est retournée au magasin parce qu'elle _____ .

2. Nous chantions et riions beaucoup parce que nous _____ .

3. Il était furieux parce qu'il _____ .

4. Ils étaient très contents parce qu'ils _____ .

5. On ne pouvait rien voir dans la pièce parce qu'on _____ .

6. Tout le monde te cherchait parce que tu _____ .

Les verbes en -*OIR*

- Le plus-que-parfait se forme avec **avoir** ou **être** à l'**imparfait** auquel on ajoute le **participe passé** du verbe à conjuguer.
- Le choix de l'auxiliaire et les règles de l'accord du participe passé sont les mêmes que pour le passé composé (voir pp. 60, 74 et 78).

■ POUVOIR

j'	avais	pu
tu	avais	pu
il/elle	avait	pu
nous	avions	pu
vous	aviez	pu
ils/elles	avaient	pu

Et :
devoir : *j'avais dû*
savoir : *j'avais su*
valoir : *j'avais valu*

■ VOULOIR

j'	avais	voulu
tu	avais	voulu
il/elle	avait	voulu
nous	avions	voulu
vous	aviez	voulu
ils/elles	avaient	voulu

■ S'ASSEOIR

je	m'étais	assis(e)
tu	t'étais	assis(e)
il/elle	s'était	assis(e)
nous	nous étions	assis(es)
vous	vous étiez	assis(e)(s)
ils/elles	s'étaient	assis(es)

■ FALLOIR : il avait fallu

■ PLEUVOIR : il avait plu

■ VOIR

j'	avais	vu
tu	avais	vu
il/elle	avait	vu
nous	avions	vu
vous	aviez	vu
ils/elles	avaient	vu

■ RECEVOIR

j'	avais	reçu
tu	avais	reçu
il/elle	avait	reçu
nous	avions	reçu
vous	aviez	reçu
ils/elles	avaient	reçu

■ S'APERCEVOIR

je	m'étais	aperçu(e)
tu	t'étais	aperçu(e)
il/elle	s'était	aperçu(e)
nous	nous étions	aperçu(e)s
vous	vous étiez	aperçu(e)(s)
ils/elles	s'étaient	aperçu(e)s

Et :
s'émouvoir : *je m'étais ému(e)...*

1   **Répondez au plus-que-parfait selon le modèle.**

Il n'a pas plu hier ? *Je croyais qu'il avait plu...*

1. On n'a pas pu le joindre au téléphone ?   _____

2. Il n'a pas vu ce film ?   _____

3. Vous n'avez pas dû assister à la réunion ?   _____

4. Elle ne s'est pas aperçue de son absence ?   _____

5. Ils n'ont pas reçu le fax ?   _____

6. Tu n'as pas conçu ce projet tout seul ?   _____

2   **Complétez au plus-que-parfait.**

1. *pouvoir*   Si seulement tu _____ me prévenir à temps !

2. *devoir*   Quelle catastrophe ! Si vous _____ tout annuler !

3. *ne pas pleuvoir* Ah ! S'il _____ !...

4. *se revoir*   Si au moins nous _____ une seule fois !

5. *vouloir*   Si seulement ils _____ accepter notre offre !

6. *falloir*   Quelle catastrophe, s'il _____ tout refaire !

7. *savoir*   Si elle _____ combien il l'aimait !

3   **Complétez ce récit au plus-que-parfait.**

Journée d'une correctrice

Ah ! Si je _____ quelle journée j'allais passer ce mardi 30 mars !   *savoir*

Ce jour-là, je _____ travailler à la correction de ce manuscrit :   *vouloir*

je _____ à mon bureau, mais les enfants m'_____   *s'asseoir – interrompre*

sans cesse et je _____ me concentrer. De plus,   *ne pas pouvoir*

comme il _____, ils _____ toute la maison et   *pleuvoir – salir*

je _____ tout nettoyer ! Le pire est qu'entre-temps,   *devoir*

je _____ qu'il manquait beaucoup de pages et   *s'apercevoir*

il _____ téléphoner à l'éditeur qui me les _____   *falloir – envoyer*

en courrier express... Mais je ne les _____ qu'à 10 h du soir !...   *recevoir*

Un quart d'heure avant je _____ sur le canapé,   *s'endormir*

morte de fatigue !...

4   **Racontez une journée avec vos amis ou votre famille qui ne s'est pas passée comme vous l'aviez prévu.**

Ce jour-là, _____

_____

LE FUTUR DE L'INDICATIF

- Le futur de ces verbes se forme avec le **radical** qui est **irrégulier** auquel on ajoute les terminaisons *-ai, -as, -a, -ons, -ez, -ont*.

⚠ Ces terminaisons correspondent aux formes du verbe **avoir** au présent de l'indicatif : j'**ai**, tu **as**, il **a**, nous av-**ons**, vous av-**ez**, ils **ont**.

Les verbes *ÊTRE, AVOIR, ALLER, VENIR* et *FAIRE*

■ **ÊTRE**

je	serai
tu	seras
il/elle	sera
nous	serons
vous	serez
ils/elles	seront

■ **AVOIR**

j'	aurai
tu	auras
il/elle	aura
nous	aurons
vous	aurez
ils/elles	auront

♪ La liaison dans **nous aurons**, **vous aurez**, **ils auront** et **elles auront** est obligatoire.
[z] [z] [z] [z]

■ **ALLER**

j'	irai
tu	iras
il/elle	ira
nous	irons
vous	irez
ils/elles	iront

Et :
s'en aller :
je m'en irai

■ **VENIR**

je	viendrai
tu	viendras
il/elle	viendra
nous	viendrons
vous	viendrez
ils/elles	viendront

♪ La liaison dans **nous irons**, **vous irez**, **ils iront** et **elles iront** est obligatoire.
[z] [z] [z] [z]

■ **FAIRE**

je	ferai
tu	feras
il/elle	fera
nous	ferons
vous	ferez
ils/elles	feront

1 Conjuguez au futur.

1. *être*   Ils _____ là à 6 heures.   5. *faire*   Il _____ chaud jeudi.

2. *avoir*   Je _____ sa lettre demain.   6. *ne pas aller*   Elle _____ l'attendre.

3. *aller*   Nous _____ en juin.   7. *ne pas venir*   Elles _____ en classe.

4. *venir*   Tu _____ avec nous.   8. *ne pas être*   Vous _____ surpris.

2 Mettez les phrases suivantes au futur.

1. J'ai 20 ans en septembre prochain. _____

2. Elle est diplomée dans deux mois. _____

3. Nous avons une soirée d'anniversaire demain. _____

4. Ils vont aux États-Unis en été. _____

5. Vous venez nous rendre visite dimanche ? _____

6. Est-ce que tu fais une grande fête pour tes 50 ans ? _____

7. Il fait un stage dans une banque cet été. _____

3 Conjuguez les verbes proposés au futur et reliez les éléments.

1. Quand tu (*venir*) _____ à Rome,   a. ils nous le (*faire*) _____ connaître.

2. Lorsque je (*avoir*) _____ une voiture,   b. il (*avoir*) _____ le droit de voter.

3. Quand vous (*venir*) _____ en Espagne,   c. je (*faire*) _____ des escapades à la mer.

4. Dès qu'il (*être*) _____ majeur,   d. nous te (*faire*) _____ visiter la ville.

5. Quand on (*avoir*) _____ de l'argent,   e. nous (*aller*) _____ vous accueillir.

6. Quand ils (*avoir*) _____ le résultat,   f. on (*faire*) _____ le tour de l'Europe.

4 Utilisez « être », « avoir », « aller », « venir » et « faire » au futur pour exprimer des projets.

1. C'est décidé, en hiver, nous _____ , nous _____ ,
nous _____ et nous _____ .

2. Pierre a une très bonne idée : en été, il _____ , il _____ ,
il _____ et il _____ .

3. Marion traverse une crise : elle ne _____ , elle ne _____ ,
elle ne _____ et ne _____ .

4. Quels sont tes projets pour le mariage de Céline ? Est-ce que tu _____ ?
Est-ce que tu _____ ou est-ce que tu _____ ?

5 Quels sont vos projets pour les prochaines vacances ?

Les verbes *POUVOIR, VOULOIR, DEVOIR, FALLOIR* et *SAVOIR*

• Le futur de ces verbes se forme avec le **radical** qui est **irrégulier** auquel on ajoute les terminaisons : *-ai*, *-as*, *-a*, *-ons*, *-ez*, *-ont*.

■ POUVOIR

je	pourrai
tu	pourras
il/elle	pourra
nous	pourrons
vous	pourrez
ils/elles	pourront

■ VOULOIR

je	voudrai
tu	voudras
il/elle	voudra
nous	voudrons
vous	voudrez
ils/elles	voudront

■ DEVOIR

je	devrai
tu	devras
il/elle	devra
nous	devrons
vous	devrez
ils/elles	devront

■ FALLOIR

il	faudra

⚠ Ce verbe ne se conjugue qu'à la 3ᵉ personne du singulier.

■ SAVOIR

je	saurai
tu	sauras
il/elle	saura
nous	saurons
vous	saurez
ils/elles	sauront

♪ Ne confondez pas **nous aurons** et **nous saurons** ; **vous aurez** et **vous saurez**.
               [z]   [s]   [z]   [s]

1   Conjuguez au futur.

1. Nous pouvons le faire.

Nous _____ .

Je _____ .

2. Il veut rester plus tard.

Il _____ .

Elles _____ .

3. Tu dois passer à la banque.

Tu _____ .

Nous _____ .

4. Il faut lui écrire.

Il _____ .

5. Vous savez comment y aller ?

Vous _____ .

Tu _____ .

6. Ils peuvent nous rejoindre là-bas.

Ils _____ .

Elle _____ .

2   Faites des phrases selon le modèle.

avoir le bac / pouvoir travailler → Quand tu auras le bac, tu pourras travailler.

1. *vouloir aller au théâtre / devoir réserver des places*

Quand vous _____

2. *savoir conduire / pouvoir acheter une voiture*

Quand je _____

3. *avoir une carte de crédit / falloir être responsable*

Quand tu _____

3   Complétez avec « faire », « falloir », « pouvoir », « vouloir » et « devoir » pour écrire ce bulletin météorologique.

Demain nous serons le 2 avril, mais attention ! il _____ mauvais sur tout le pays. Vous ne _____ pas vous habiller comme vous _____ . Vous _____ porter des vêtements chauds le matin et il ne _____ pas oublier votre parapluie.

Vous _____ toutefois enlever vos pulls dans l'après-midi car il _____ plus chaud. Comme le dit le proverbe : « En avril ne te découvre pas d'un fil, en mai fais ce qu'il te plaît. ».

4   Mettez le contenu de ce message au futur.

Chers amis,

Voici quelques informations avant votre départ.

Vous devez être à l'aéroport à 9 heures précises. Vous pouvez enregistrer les bagages dès 9 h 15. Maryse, votre accompagnatrice, veut certainement vous rencontrer avant de partir. Il faut lui poser toutes les questions concernant les différentes visites que vous voulez faire sur place. Elle sait bien sûr y répondre et elle peut vous donner des conseils de dernière minute.

Je ne peux pas rester avec vous après 10 h 30, donc vous devez absolument être à l'heure. Merci. À bientôt.

Votre correspondant Gilles

Les verbes en -ER

• Le futur se forme avec **l'infinitif** auquel on ajoute les terminaisons
-ai, -as, -a, -ons, -ez, -ont.
Exemple : parler → parler-ai → je **parlerai**.

FUTURS RÉGULIERS

■ PARLER

je	parlerai
tu	parleras
il/elle	parlera
nous	parlerons
vous	parlerez
ils/elles	parleront

Et :
oublier : *j'oublierai*
continuer : *je continuerai*
jouer : *je jouerai*
créer : *je créerai*
travailler : *je travaillerai*
commencer : *je commencerai*
manger : *je mangerai*
gagner : *je gagnerai*
espérer : *j'espérerai*

■ SE DÉPÊCHER

je	me dépêcherai
tu	te dépêcheras
il/elle	se dépêchera
nous	nous dépêcherons
vous	vous dépêcherez
ils/elles	se dépêcheront

FUTURS IRRÉGULIERS

■ APPELER

j'	appellerai
tu	appelleras
il/elle	appellera
nous	appellerons
vous	appellerez
ils/elles	appelleront

■ JETER

je	jetterai
tu	jetteras
il/elle	jettera
nous	jetterons
vous	jetterez
ils/elles	jetteront

■ S'ENNUYER

je	m'ennuierai
tu	t'ennuieras
il/elle	s'ennuiera
nous	nous nous ennuierons
vous	vous vous ennuierez
ils/elles	s'ennuieront

Et :
employer : *j'emploierai*

♪ Le « -e » après « -ll- », « -tt- » et « i » ne se prononce pas.

■ PAYER

je	paierai
tu	paieras
il/elle	paiera
nous	paierons
vous	paierez
ils/elles	paieront

■ ENVOYER

j'	enverrais
tu	enverras
il/elle	enverra
nous	enverrons
vous	enverrez
ils/elles	enverront

⚠ Les verbes en **-ayer** peuvent avoir
un futur régulier : *je payerai, nous essayerons...*

1 **Conjuguez au futur.**

1. *aimer* Il _____ cette idée.

2. *passer* Je _____ la journée ici.

3. *s'amuser* Nous _____ bien.

4. *ne pas bouger* Vous _____ .

5. *employer* Ils _____ deux personnes.

6. *nettoyer* Tu _____ tout.

7. *envoyer* Je l'_____ mardi.

8. *appeler* Elle _____ ce soir.

2 **Complétez avec les verbes proposés au futur.**

1. Demain, je _____ à ton père et je _____ de le convaincre. (*parler – essayer*)

2. Samedi, on _____ chez moi et on _____ aux cartes. (*se retrouver – jouer*)

3. Demain soir vous _____ dîner et nous _____ un peu. (*rester – bavarder*)

4. Ils _____ un modèle et on leur _____ notre avis. (*créer – donner*)

5. Je _____ la lettre et je la lui _____ . (*rédiger – envoyer*)

6. Il _____ la facture et on la _____ aussitôt. (*envoyer – payer*)

7. Nous _____ Frank et nous lui _____ la situation. (*appeler – expliquer*)

8. Tu _____ chez ton oncle et tu le _____ . (*s'arrêter – remercier*)

9. Il _____ : il _____ toute la journée. (*ne pas s'ennuyer – étudier*)

3 **Choisissez parmi les verbes proposés pour exprimer les projets d'un jeune couple.**

louer – aménager – inviter – organiser – s'installer – décorer – voyager

Nous nous marierons en juin. _____

_____

_____

_____

4 **Complétez avec les verbes proposés conjugués au futur.**

Sensation

Par les soirs bleus d'été, je _____ dans les sentiers,   *aller*

Picoté par les blés, fouler l'herbe menue :

Rêveur, j'en sentirai la fraîcheur à mes pieds

Je _____ le vent baigner ma tête nue.   *laisser*

Je _____ , je _____ :   *ne pas parler – ne rien penser*

Mais l'amour infini me _____ dans l'âme,   *monter*

Et je _____ loin, bien loin, comme un bohémien   *aller*

Par la Nature, heureux comme avec une femme.

Rimbaud, *Poésies*

⚠️ Notez l'apparition d'un **accent grave**.

◼ ACHETER

j'	ach**è**terai
tu	ach**è**teras
il/elle	ach**è**tera
nous	ach**è**terons
vous	ach**è**terez
ils/elles	ach**è**teront

◼ SE PROMENER

je	me prom**è**nerai
tu	te prom**è**neras
il/elle	se prom**è**nera
nous	nous prom**è**nerons
vous	vous prom**è**nerez
ils/elles	se prom**è**neront

Et :
mener : *je mènerai*
amener : *j'amènerai*
emmener : *j'emmènerai*

◼ CONGELER

je	cong**è**lerai
tu	cong**è**leras
il/elle	cong**è**lera
nous	cong**è**lerons
vous	cong**è**lerez
ils/elles	cong**è**leront

Et :
modeler : *je modèlerai*
harceler : *je harcèlerai*
peler : *je pèlerai*...

◼ SE LEVER

je	me l**è**verai
tu	te l**è**veras
il/elle	se l**è**vera
nous	nous l**è**verons
vous	vous l**è**verez
ils/elles	se l**è**veront

Et :
enlever : *j'enlèverai*
soulever : *je soulèverai*
achever : *j'achèverai*

◼ PESER

je	p**è**serai
tu	p**è**seras
il/elle	p**è**sera
nous	p**è**serons
vous	p**è**serez
ils/elles	p**è**seront

◼ SEMER

je	s**è**merai
tu	s**è**meras
il/elle	s**è**mera
nous	s**è**merons
vous	s**è**merez
ils/elles	s**è**meront

⚠️ Les verbes du type **espérer** sont réguliers (voir p. 92).

1 **Mettez les accents comme il convient.**

1. J'emmenerai Paul.

2. Elle ne se levera pas.

3. Nous n'acheterons rien.

4. Il préferera ne pas y aller.

5. Ils geleront les prix.

6. Tu enleveras la poussière.

7. Ils s'inquieteront pour ma santé.

8. Elle n'adherera pas à notre projet.

2 **Mettez les verbes proposés au futur puis au pluriel.**

1. *acheter – semer – arroser*

J'_____ des graines, je les _____ et je les _____ .

Nous _____ .

2. *emmener – se promener*

Tu _____ les enfants au parc et s'il fait beau nous _____ .

Vous _____ .

3. *acheter – congeler*

Elle _____ de la viande et elle en _____ la moitié.

Elles _____ .

3 **Complétez avec les verbes proposés au futur puis reliez les éléments de gauche à ceux de droite pour faire une phrase.**

1. S'il réussit son examen,

2. Si vous ne lui dites pas la vérité,

3. Si vous n'avez pas le temps,

4. Si tu fermes les fenêtres,

5. Si nous ne fixons pas les règles,

6. Si elle va mieux,

a. je _____ mon manteau. (*enlever*)

b. vous _____ ce travail plus tard. (*achever*)

c. ils _____ le désordre. (*semer*)

d. on lui _____ un beau cadeau. (*acheter*)

e. tu l'_____ à la piscine. (*emmener*)

f. il vous _____ pendant longtemps. (*harceler*)

4 **Conjuguez les verbes proposés au futur.**

Quelques conseils

Avant de commencer, tu _____ les ingrédients — *acheter*

et tu _____ le beurre. Puis, tu _____ — *décongeler – peser*

avec soin le sucre et la farine et tu _____ — *peler*

les citrons. Attention ! tu _____ avec soin — *enlever*

tous les pépins. Lorsque tu _____ le tout, — *mélanger*

tu _____ bien la pâte pour l'aérer. — *soulever*

Quand la tarte _____ cuite, — *être*

tu _____ le dessus de sucre glace. — *parsemer*

Les verbes en -*IR*

FUTURS RÉGULIERS

- Le futur de ces verbes se forme avec l'**infinitif** du verbe auquel on ajoute les terminaisons *-ai, -as, -a, -ons, -ez, ont*.

■ FINIR

je	finirai
tu	finiras
il/elle	finira
nous	finirons
vous	finirez
ils/elles	finiront

Et :
partir : *je partirai*
haïr : *je haïrai*
dormir : *je dormirai*
fuir : *je fuirai*

■ OUVRIR

j'	ouvrirai
tu	ouvriras
il/elle	ouvrira
nous	ouvrirons
vous	ouvrirez
ils/elles	ouvriront

Et :
offrir : *j'offrirai*
couvrir : *je couvrirai*
découvrir : *je découvrirai*
souffrir : *je souffrirai*

■ (SE) SERVIR

je	(me) servirai
tu	(te) serviras
il/elle	(se) servira
nous	(nous) servirons
vous	(vous) servirez
ils/elles	(se) serviront

Et :
s'enrichir : *je m'enrichirai*
s'évanouir : *je m'évanouirai*

FUTURS IRRÉGULIERS

■ COURIR

je	cou**rr**ai
tu	cou**rr**as
il/elle	cou**rr**a
nous	cou**rr**ons
vous	cou**rr**ez
ils/elles	cou**rr**ont

Et :
mourir : *je mourrai*
acquérir : *j'acquerrai*

■ CUEILLIR

je	cueill**e**rai
tu	cueill**e**ras
il/elle	cueill**e**ra
nous	cueill**e**rons
vous	cueill**e**rez
ils/elles	cueill**e**ront

■ SE SOUVENIR

je	me souv**iendr**ai
tu	te souv**iendr**as
il/elle	se souv**iendr**a
nous	nous souv**iendr**ons
vous	vous souv**iendr**ez
ils/elles	se souv**iendr**ont

Et :
tenir : *je tiendrai*

♪ Pour distinguer le présent du futur aux 2 premières personnes du pluriel des verbes du type **courir** ou **mourir**, on insiste légèrement sur la prononciation des deux « r » : *Nous courons aujourd'hui et nous cou**rr**ons demain.*

EXERCICES

1   Conjuguez au futur.

1. *partir*   Ils _____ mardi prochain.

2. *se servir*   Nous _____ de ce document.

3. *revenir*   Il _____ me chercher.

4. *dormir*   Nous _____ sous la tente ?

5. *ouvrir*   Tu _____ un compte bancaire.

6. *cueillir*   Je _____ quelques fleurs.

2   Complétez avec le verbe souligné au futur.

1. Nous n'allons pas <u>finir</u> le projet maintenant, nous le _____ demain.

2. Il ne va pas lui <u>offrir</u> ce cadeau aujourd'hui, il le lui _____ pour la Saint-Valentin.

3. On ne va pas <u>partir</u> tout de suite, on _____ en fin d'après-midi.

4. Ils ne vont pas <u>venir</u> ce jeudi, ils _____ jeudi prochain.

5. Je ne vais pas m'en <u>servir</u> aujourd'hui, je _____ dans deux jours.

3   Formez des phrases selon le modèle.

manger trop / grossir   →   Si tu *manges trop, tu grossiras.*

1. partir / mourir de tristesse   Si elle _____.

2. chercher bien / découvrir la vérité   Si on _____.

3. travailler bien / sortir ce week-end   Si tu _____.

4. changer d'avis / me prévenir   Si vous _____ ?

5. noter la date / se souvenir du rendez-vous   Si je _____.

6. s'entraîner bien / courir le marathon   Si nous _____.

7. étudier sérieusement / réussir l'examen   S'ils _____.

4   Complétez cette note d'information au futur simple.

Jeudi, nous _____ une permanence de 9 h à midi et   *tenir*

nous _____ les étudiants qui le _____.   *accueillir – désirer*

Ils _____ un questionnaire sur l'université. Nous espérons   *remplir*

qu'ils _____ tous et qu'ils _____ libres d'exprimer   *venir – se sentir*

leurs critiques et on _____ compte de leurs suggestions.   *tenir*

5   Décrivez librement au futur un dîner que vous allez organiser.

arriver – accueillir – offrir – servir – discuter – dîner – partir – s'endormir – etc.

La semaine prochaine, j'inviterai mes amis à dîner . . . _____

_____

_____

_____

Les verbes en *-RE*

Le futur de ces verbes se forme avec l'**infinitif sans le e final** auquel on ajoute les terminaisons *-ai, -as, -a, -ons, -ez, ont*.
Exemple : dir-e → **dir** → je **dirai**.

◾ PRENDRE

je	prendrai
tu	prendras
il/elle	prendra
nous	prendrons
vous	prendrez
ils/elles	prendront

Et :
attendre : *j'attendrai*
répondre : *je répondrai*
conduire : *je conduirai*
lire : *je lirai*

◾ DIRE

je	dirai
tu	diras
il/elle	dira
nous	dirons
vous	direz
ils/elles	diront

écrire : *j'écrirai*
rire : *je rirai*
(se) perdre : *je (me) perdrai*
peindre : *je peindrai*

◾ (S')INSCRIRE

je	(m')inscrirai
tu	(t') inscriras
il/elle	(s')inscrira
nous	(nous) inscrirons
vous	(vous) inscrirez
ils/elles	(s') inscriront

(se) plaindre : *je (me) plaindrai*
rejoindre : *je rejoindrai*
résoudre : *je résoudrai*
coudre : *je coudrai*

◾ CROIRE

je	croirai
tu	croiras
il/elle	croira
nous	croirons
vous	croirez
ils/elles	croiront

Et :
boire : *je boirai*
(se) distraire : *je (me) distrairai*
croître : *je croîtrai*
interrompre : *j'interromprai*

◾ METTRE

je	mettrai
tu	mettras
il/elle	mettra
nous	mettrons
vous	mettrez
ils/elles	mettront

connaître : *je connaîtrai*
(se) battre : *je (me) battrai*
naître : *je naîtrai*
convaincre : *je convaincrai*

◾ (SE) TAIRE

je	(me) tairai
tu	(te) tairas
il/elle	(se) taira
nous	(nous) tairons
vous	(vous) tairez
ils	(se) tairont

suivre : *je suivrai*
vivre : *je vivrai*
conclure : *je conclurai*

1 Conjuguez au futur.

1. *prendre* Ils _____ tout leur temps.

2. *attendre* Nous _____ un peu.

3. *lire* Elle _____ les critiques.

4. *boire* Vous _____ à ma santé.

5. *convaincre* Je _____ les autres.

6. *repeindre* Tu _____ le salon ?

7. *dire* On _____ ce qu'on pense.

8. *écrire* J'_____ un poème.

9. *mettre* Il _____ son costume noir.

10. *s'inscrire* Nous _____ demain.

2 Mettez les questions et les réponses au futur.

Recommandations

Mais oui, je te promets que :

1. *conduire* Tu _____ prudemment ? je _____.

2. *écrire* Tu m'_____ souvent ? _____.

3. *lire* Tu _____ mon livre ? _____.

4. *dire* Tu _____ à Guy de m'appeler ? _____.

5. *prendre* Tu _____ des photos ? _____.

3 Faites des phrases au futur selon le modèle.

elle / téléphoner / prendre rendez-vous : *Quand elle téléphonera, elle prendra rendez-vous.*

1. vous / entendre le réveil / se lever : _____

2. nous / aller là-bas / ne pas se perdre : _____

3. on / gagner / boire du champagne : _____

4. ils / vivre en Chine / apprendre le chinois : _____

5. tu / sortir / mettre les clés sous le pot de fleurs : _____

4 Répondez librement au futur avec les verbes proposés ou d'autres de votre choix.

Que ferez-vous si, un jour,...

1. on vous propose de jouer dans un film ? (*croire / répondre / prendre / dire / lire...*)

_____

2. un inconnu vous parle dans le métro ? (*répondre / se taire / dire / s'enfuir / descendre...*)

_____

3. vous trouvez un porte-monnaie dans le bus ? (*remettre / rendre / prendre / dire...*)

_____

4. on vous offre un livre que vous avez déjà lu ? (*dire / relire / mettre / rendre / se taire...*)

_____

5. vous trouvez, sur une plage, un message dans une bouteille ? (*lire / écrire / répondre / (re)mettre...*)

_____

Les verbes en *-OIR*

- Les verbes en *-oir*, sauf exceptions (voir ci-dessous), ont un futur **irrégulier**.

PLEUVOIR : il pleuvra

VOIR

je	ver**r**ai
tu	ver**r**as
il/elle	ver**r**a
nous	ver**r**ons
vous	ver**r**ez
ils/elles	ver**r**ont

S'ASSEOIR (2 conjugaisons possibles)

je	m'ass**oi**rai	je	m'assi**é**rai
tu	t'ass**oi**ras	tu	t'assi**é**ras
il/elle	s'ass**oi**ra	il/elle	s'assi**é**ra
nous	nous ass**oi**rons	nous	nous assi**é**rons
vous	vous ass**oi**rez	vous	vous assi**é**rez
ils/elles	s'ass**oi**ront	ils/elles	s'assi**é**ront

⚠ Les verbes **prévoir** et **pourvoir** ont un futur **régulier** formé sur l'infinitif :
je prévoirai – je pourvoirai

VALOIR

je	**vaud**rai
tu	**vaud**ras
il/elle	**vaud**ra
nous	**vaud**rons
vous	**vaud**rez
ils/elles	**vaud**ront

Et :
(s')émouvoir : *je (m')émouvrai*

RECEVOIR

je	rece**v**rai
tu	rece**v**ras
il/elle	rece**v**ra
nous	rece**v**rons
vous	rece**v**rez
ils/elles	rece**v**ront

Et :
décevoir : *je décevrai*

(S')APERCEVOIR

je	(m') apercev**r**ai
tu	(t') apercev**r**as
il/elle	(s') apercev**r**a
nous	(nous) apercev**r**ons
vous	(vous) apercev**r**ez
ils/elles	(s') apercev**r**ont

1 Conjuguez au futur.

1. *voir* Tu _____...

2. *valoir* Cela _____ la peine.

3. *s'asseoir* Nous _____ / _____ l'un à côté de l'autre.

4. *recevoir* Vous les _____ bientôt.

5. *s'apercevoir* Ils _____ qu'il a raison.

2 Complétez avec les verbes proposés au futur puis reliez les éléments.

voir 1. Vous _____,

se mettre 2. Tu _____ ici,

pleuvoir 3. Demain, il _____,

faire 4. Je le _____,

envoyer 5. Nous l'_____

a. je ne te _____ pas ! *décevoir*

b. ils ne _____ de rien ! *s'apercevoir*

c. vous le _____ lundi. *recevoir*

e. il _____ prendre un parapluie. *falloir*

f. ils _____ là-bas. *s'asseoir*

3 Complétez au futur, puis trouvez un autre scénario.

On _____ bien ce qui _____ quand il _____ sa lettre   *voir – se passer– recevoir*

d'adieu et qu'il _____ qu'elle le quitte vraiment.   *voir*

Il _____ mieux le laisser tranquille. Ou bien il _____   *valoir – s'apercevoir*

de ses erreurs passées et il _____ lui demander pardon.   *vouloir*

Ou bien il... _____

_____

_____

_____

4 À partir de cette interview d'une grande actrice de cinéma, prédisez l'avenir à une amie qui veut devenir actrice.

« Depuis que je suis célèbre, je reçois des centaines de lettres d'admirateurs. Il me faut une secrétaire à temps complet pour y répondre. Au restaurant, j'ai la meilleure table et je m'assieds toujours à la place d'honneur dans les banquets. Mais je m'aperçois que je ne peux plus sortir seule dans la rue. Je dois être accompagnée d'un garde du corps. Je veux pourtant avoir une vie privée... Dans ces conditions, cela vaut-il la peine de continuer ma carrière ? »

Si tu deviens célèbre, tu _____

_____

_____

_____

_____

LE FUTUR ANTÉRIEUR DE L'INDICATIF

- Le futur antérieur se forme avec **avoir** ou **être** au **futur** auquel on ajoute le **participe passé** du verbe à conjuguer.
- Le choix de l'auxiliaire et les règles de l'accord du participe passé sont les mêmes que pour le passé composé (voir pp. 60, 74 et 78).

Les verbes *ÊTRE, AVOIR, FAIRE, ALLER, VENIR* et les verbes en *-ER*

■ ÊTRE

j'	aurai	été
tu	auras	été
il/elle	aura	été
nous	aurons	été
vous	aurez	été
ils/elles	auront	été

■ AVOIR

j'	aurai	eu
tu	auras	eu
il/elle	aura	eu
nous	aurons	eu
vous	aurez	eu
ils/elles	auront	eu

■ FAIRE

j'	aurai	fait
tu	auras	fait
il/elle	aura	fait
nous	aurons	fait
vous	aurez	fait
ils/elles	auront	fait

■ ALLER

je	serai	allé(e)
tu	seras	allé(e)
il/elle	sera	allé(e)
nous	serons	allé(e)s
vous	serez	allé(e)(s)
ils/elles	seront	allé(e)s

Et:
s'en aller : *je m'en serai allé(e)*

■ VENIR

je	serai	venu(e)
tu	seras	venu(e)
il/elle	sera	venu(e)
nous	serons	venu(e)s
vous	serez	venu(e)(s)
ils/elles	seront	venu(e)s

■ PARLER

j'	aurai	parlé
tu	auras	parlé
il/elle	aura	parlé
nous	aurons	parlé
vous	aurez	parlé
ils/elles	auront	parlé

■ SE DÉPÊCHER

je	me serai	dépêché(e)
tu	te seras	dépêché(e)
il/elle	se sera	dépêché(e)
nous	nous serons	dépêché(e)s
vous	vous serez	dépêché(e)(s)
ils/elles	se seront	dépêché(e)s

Et:
oublier : *j'aurai oublié*
continuer : *j'aurai continué*
jouer : *j'aurai joué*
créer : *j'aurai créé*

appeler : *j'aurai appelé*
jeter : *j'aurai jeté*
payer : *j'aurai payé*
acheter : *j'aurai acheté*

Et:
se promener : *je me serai promené(e)*
s'ennuyer : *je me serai ennuyé(e)*
se lever : *je me serai levé(e)*

1 Conjuguez au passé composé puis au futur antérieur.

1. *être malade*   Il _____ .   Il _____ .

2. *avoir une panne*   Elles _____ . Elles _____ .

3. *faire des courses*   Ils _____ .   Ils _____ .

4. *aller à la plage*   Tu _____ .   Tu _____ .

5. *devenir fou*   Il _____ .   Il _____ .

2 Établissez une relation d'antériorité selon le modèle.

avoir eu les résultats avant midi / téléphoner dans l'après-midi

→ *Nous aurons eu les résultats avant midi, nous vous téléphonerons dans l'après-midi.*

1. avoir fait des réservations d'ici samedi / tenir au courant de mon heure d'arrivée.

_____

2. être tous allés voir la pièce avant le 15 / pouvoir en discuter en classe.

_____

3. être rentré avant 18 heures / avoir le temps de préparer le dîner.

_____

4. s'être renseignés d'ici deux jours / prendre alors une décision.

_____

3 Mettez les verbes soulignés au futur antérieur.

1. Dès qu'elle <u>commencera</u> à travailler, elle aura moins de problèmes d'argent.

_____

2. Quand ils se <u>décideront</u>, ils nous le diront.

_____

3. Lorsque j'<u>achèterai</u> un ordinateur, le travail sera simplifié.

_____

4. Tant que tu ne <u>paieras</u> pas ta facture, on ne rétablira pas ta ligne téléphonique.

_____

5. Quand elle <u>s'habituera</u> à sa nouvelle vie, elle sera plus à l'aise.

_____

4 Imaginez une explication aux faits suivants en conjuguant les verbes proposés au futur antérieur.

1. Il n'est pas venu au cours depuis longtemps : _____ . (*tomber malade*)

2. Elle n'est pas encore là : _____ . (*se tromper d'adresse*)

3. La lettre ne leur est pas parvenue : _____ . (*oublier de la poster*)

4. Je ne trouve pas les documents : _____ . (*jeter à la poubelle*)

5. Ils ne sont pas encore arrivés : _____ . (*s'arrêter chez des amis*)

Les verbes en -*IR*

• Le futur antérieur se forme avec **avoir** ou **être** au **futur** auquel on ajoute le **participe passé** du verbe à conjuguer.
• Le choix de l'auxiliaire et les règles d'accord du participe passé sont les mêmes que pour le passé composé (voir pp. 60, 74 et 78).

◾ FINIR

j'	aurai	fini
tu	auras	fini
il/elle	aura	fini
nous	aurons	fini
vous	aurez	fini
ils/elles	auront	fini

Et :
haïr : *j'aurai haï*

◾ SE SOUVENIR

je	me serai	souvenu(e)
tu	te seras	souvenu(e)
il/elle	se sera	souvenu(e)
nous	nous serons	souvenu(e)s
vous	vous serez	souvenu(e)(s)
ils/elles	se seront	souvenu(e)s

Et :
s'enrichir : *je me serai enrichi(e)*
se servir : *je me serai servi(e)*
s'enfuir : *je me serai enfui(e)*
s'évanouir : *je me serai évanoui(e)*

◾ DORMIR

j'	aurai	dormi
tu	auras	dormi
il/elle	aura	dormi
nous	aurons	dormi
vous	aurez	dormi
ils/elles	auront	dormi

Et :
cueillir : *j'aurai cueilli*
fuir : *j'aurai fui*
courir : *j'aurai couru*
tenir : *j'aurai tenu*
acquérir : *j'aurai acquis*

◾ OUVRIR

j'	aurai	ouvert
tu	auras	ouvert
il/elle	aura	ouvert
nous	aurons	ouvert
vous	aurez	ouvert
ils/elles	auront	ouvert

Et :
offrir : *j'aurai offert*
couvrir : *j'aurai couvert*
découvrir : *j'aurai découvert*
souffrir : *j'aurai souffert*

◾ PARTIR

je	serai	parti(e)
tu	seras	parti(e)
il/elle	sera	parti(e)
nous	serons	parti(e)s
vous	serez	parti(e)(s)
ils/elles	seront	parti(e)s

Et :
sortir : *je serai sorti(e)*
devenir : *je serai devenu(e)*
mourir : *je serai mort(e)*

1 Conjuguez au futur antérieur à la forme affirmative puis négative.

1. *agir*   Elle _____ / _____

2. *se souvenir*   Ils _____ / _____

3. *mentir*   Je _____ / _____

4. *découvrir*   Il l'_____ / _____

5. *revenir*   Nous _____ / _____

2 Mettez les verbes proposés au futur antérieur.

1. Elle nous rejoindra quand elle _____ (*finir*).

2. Je serai mort de fatigue quand je _____ (*courir*) pendant trois heures.

3. Revenez me voir une fois que vous _____ (*réfléchir*).

4. En dix ans, il _____ (*ne pas s'enrichir*) d'un centime.

5. Nous partirons quand le bébé _____ (*dormir*).

3 Imaginez votre futur en utilisant les expressions proposées au futur antérieur.

> *devenir riche – ouvrir trois nouvelles succursales – acquérir une réputation internationale – parcourir le monde – découvrir l'homme ou la femme de mes rêves*

D'ici dix ans, je _____

_____

_____ et je serai comblé(e).

4 Utilisez les verbes proposés au futur antérieur pour exprimer des souhaits.

Quand vous recevrez ma lettre :

    1. que grand-mère _____ (*guérir*) de sa grippe.

    2. que grand-père _____ (*revenir*) de sa cure.

J'espère **3.** qu'Isabelle et Chris _____ (*réussir*) leurs examens.

    4. qu'Éric _____ (*s'assagir*).

    5. que les jumeaux _____ (*grandir*).

5 Mettez le verbe au futur antérieur et faites l'accord du participe passé.

1. Je vous enverrai les échantillons que nous _____ (*choisir*).

2. Ce sera la troisième occasion que je _____ (*ne pas saisir*).

3. Il ne parlera certainement pas des sommes d'argent qu'il _____ (*investir*).

4. Ils nous présenteront les plans qu'ils _____ (*établir*).

5. Quand vous arriverez, elle _____ certainement _____ (*partir*).

6. Ce soir, on en _____ au moins vingt kilos (*cueillir*).

Les verbes en -RE

- Le futur antérieur se forme avec **avoir** ou **être** au **futur** auquel on ajoute le **participe passé** du verbe à conjuguer.
- Le choix de l'auxiliaire et les règles de l'accord du participe passé sont les mêmes que pour le passé composé (voir pp. 60, 74 et 78).

■ DIRE

j'	aurai	dit
tu	auras	dit
il/elle	aura	dit
nous	aurons	dit
vous	aurez	dit
ils/elles	auront	dit

Et :
conduire : *j'aurai conduit*
écrire : *j'aurai écrit*
distraire : *j'aurai distrait*
rire : *j'aurai ri*

■ CROIRE

j'	aurai	cru
tu	auras	cru
il/elle	aura	cru
nous	aurons	cru
vous	aurez	cru
ils/elles	auront	cru

Et :
boire : *j'aurai bu*
plaire : *j'aurai plu*
lire : *j'aurai lu*

■ S'INSCRIRE

je	me serai	inscrit(e)
tu	te seras	inscrit(e)
il/elle	se sera	inscrit(e)
nous	nous serons	inscrit(e)s
vous	vous serez	inscrit(e)(s)
ils/elles	se seront	inscrit(e)s

Et :
se distraire : *je me serai distrait(e)*
se taire : *je me serai tu(e)*
se perdre : *je me serai perdu(e)*
se battre : *je me serai battu(e)*
se plaindre : *je me serai plaint(e)*

■ ATTENDRE

j'	aurai	attendu
tu	auras	attendu
il/elle	aura	attendu
nous	aurons	attendu
vous	aurez	attendu
ils/elles	auront	attendu

Et :
répondre : *j'aurai répondu*
perdre : *j'aurai perdu*
coudre : *j'aurai cousu*
résoudre : *j'aurai résolu*
peindre : *j'aurai peint*
rejoindre : *j'aurai rejoint*
connaître : *j'aurai connu*
battre : *j'aurai battu*
croître : *j'aurai crû*
vivre : *j'aurai vécu*
conclure : *j'aurai conclu*
interrompre : *j'aurai interrompu*
convaincre : *j'aurai convaincu*

■ METTRE

j'	aurai	mis
tu	auras	mis
il/elle	aura	mis
nous	aurons	mis
vous	aurez	mis
ils/elles	auront	mis

Et :
prendre : *j'aurai pris*
suivre : *j'aurai suivi*

■ NAÎTRE

je	serai	né(e)
tu	seras	né(e)
il/elle	sera	né(e)
nous	serons	né(e)s
vous	serez	né(e)(s)
ils/elles	seront	né(e)s

Et :
descendre : *je serai descendu(e)*

1 Conjuguez au futur antérieur.

Je _____   Tu _____

1. *écrire* Tu _____ **3.** *se plaindre* Nous _____

Ils _____   Elle _____

Elle _____   Je _____

2. *vivre* Vous _____ **4.** *résoudre* Vous _____

Tu _____   Ils _____

2 Complétez avec les éléments proposés en mettant le verbe au futur antérieur pour créer un rapport d'antériorité.

1. Nous prendrons une décision quand vous _____   *répondre*

à notre proposition.

2. Tu ne pourras rien faire tant qu'il _____ la situation. *ne pas comprendre*

3. La partie sera gagnée une fois que nous les _____ . *convaincre*

4. J'aurai une carte de membre à partir du moment où je _____ . *s'inscrire*

3 Mettez le verbe proposé au futur antérieur et accordez le participe passé.

1. Elle enverra la lettre aussitôt qu'elle l'_____ . (*écrire*)

2. À votre retour, vous nous raconterez les expériences que vous _____ . (*vivre*)

3. Je passerai une seconde couche sur les murs que je _____ . (*peindre*)

4. Est-ce que tu pourras me prêter les livres que tu _____ ? (*lire*)

5. Ce sont des parents éloignés que je _____ . (*ne pas connaître*)

6. Tu pourras mettre cette veste dès que je l'_____ . (*recoudre*)

4 Utilisez les éléments proposés en conjuguant les verbes au temps qui convient : futur simple ou futur antérieur.

écrire au rectorat	– Quand _____ ?
prendre une décision	– Elle _____ au rectorat quand elle _____ .

signer le contrat	– À quel moment _____ ?
conclure l'affaire	– Je le _____ quand je _____ .

faire une fête	– Quand _____ ?
repeindre l'appartement	– Nous _____ quand nous _____ .

Les verbes en -*OIR*

- Le futur antérieur se forme avec **avoir** ou **être** au **futur** auquel on ajoute le **participe passé** du verbe à conjuguer.
- Le choix de l'auxiliaire et les règles de l'accord du participe passé sont les mêmes que pour le passé composé (voir pp. 60, 74 et 78).

■ POUVOIR

j'	aurai	pu
tu	auras	pu
il/elle	aura	pu
nous	aurons	pu
vous	aurez	pu
ils/elles	auront	pu

Et :
devoir : *j'aurai dû*
savoir : *j'aurai su*
valoir : *j'aurai valu*

■ VOULOIR

j'	aurai	voulu
tu	auras	voulu
il/elle	aura	voulu
nous	aurons	voulu
vous	aurez	voulu
ils/elles	auront	voulu

■ S'ASSEOIR

je	me serai	assis(e)
tu	te seras	assis(e)
il/elle	se sera	assis(e)
nous	nous serons	assis(es)
vous	vous serez	assis(e)(s)
ils/elles	se seront	assis(es)

■ FALLOIR : il aura fallu

■ PLEUVOIR : il aura plu

■ VOIR

j'	aurai	vu
tu	auras	vu
il/elle	aura	vu
nous	aurons	vu
vous	aurez	vu
ils/elles	auront	vu

■ RECEVOIR

j'	aurai	reçu
tu	auras	reçu
il/elle	aura	reçu
nous	aurons	reçu
vous	aurez	reçu
ils/elles	auront	reçu

■ S'APERCEVOIR

je	me serai	aperçu(e)
tu	te seras	aperçu(e)
il/elle	se sera	aperçu(e)
nous	nous serons	aperçu(e)s
vous	vous serez	aperçu(e)(s)
ils/elles	se seront	aperçu(e)s

Et :
s'émouvoir : *je me serai ému(e)...*

1 Conjuguez au futur antérieur.

1. *devoir*   Elle _____   **3.** *savoir*   Je _____

             Ils _____   Elle _____

             Je _____   Vous _____

2. *pouvoir*   Nous _____   **4.** *s'apercevoir*   Elle _____

             Je _____   Ils _____

             Il _____   Tu _____

2 Utilisez les verbes soulignés au futur antérieur pour exprimer une probabilité en transformant les phrases selon le modèle.

Ils <u>sont</u> certainement <u>venus</u> en notre absence. → *Ils seront venus en notre absence.*

1. Elle n'<u>a</u> certainement pas <u>pu</u> nous rejoindre.

_____

2. Elle les <u>a</u> certainement <u>vus</u> entre-temps.

_____

3. Je me <u>suis</u> certainement <u>assise</u> sur une chaise mouillée.

_____

4. Il l'<u>a</u> certainement <u>su</u> par sa sœur.

_____

5. C'est inutile de les appeler. Elles <u>ont</u> certainement tout <u>prévu</u>.

_____

3 Conjuguez un des verbes proposés au futur antérieur pour créer un rapport d'antériorité.

s'apercevoir – pouvoir – recevoir – pleuvoir – voir

1. Je vous appellerai dès que je _____ les contacter.

2. Elle nous téléphonera quand elle _____ la convocation.

3. Le jardin refleurira une fois que _____ .

4. Nous connaîtrons le diagnostic quand nous _____ le résultat des analyses.

5. Ils changeront d'avis quand ils _____ de leurs erreurs.

4 Finissez les phrases en utilisant le futur antérieur.

1. Nous pourrons discuter du film quand vous _____ .

2. Elle reviendra chercher son sac quand elle _____ .

3. Le professeur commencera son cours quand ils _____ .

4. Je vous communiquerai son adresse quand je _____ .

7 LE PASSÉ SIMPLE DE L'INDICATIF

Les verbes *ÊTRE*, *AVOIR*, *POUVOIR*, *SAVOIR*, *DEVOIR*, *FALLOIR*, *VOULOIR*, *FAIRE* et *VENIR*

PASSÉ SIMPLE EN « U » : *-us, -us, -ut, -ûmes, -ûtes, -urent*

■ ÊTRE		■ AVOIR		■ POUVOIR		■ SAVOIR	
je	fus	j'	eus	je	pus	je	sus
tu	fus	tu	eus	tu	pus	tu	sus
il/elle	fut	il/elle	eut	il/elle	put	il/elle	sut
nous	fûmes	nous	eûmes	nous	pûmes	nous	sûmes
vous	fûtes	vous	eûtes	vous	pûtes	vous	sûtes
ils/elles	furent	ils/elles	eurent	ils/elles	purent	ils/elles	surent

■ DEVOIR		■ FALLOIR		■ VOULOIR	
je	dus			je	voulus
tu	dus			tu	voulus
il/elle	dut	il	fallut	il/elle	voulut
nous	dûmes			nous	voulûmes
vous	dûtes			vous	voulûtes
ils/elles	durent			ils/elles	voulurent

PASSÉ SIMPLE EN « I » : *-is, -is, -it, -îmes, -îtes, -irent*

PASSÉ SIMPLE EN « IN » : *-ins, -ins, -int, -înmes, -întes, -inrent*

■ FAIRE		■ VENIR		
je	fis	je	vins	**Et :**
tu	fis	tu	vins	devenir, parvenir,
il/elle	fit	il/elle	vint	survenir.
nous	fîmes	nous	vînmes	
vous	fîtes	vous	vîntes	
ils/elles	firent	ils/elles	vinrent	

1 Transformez les passés composés en passés simples.

1. Elle a été reine de France. _____

2. Nous avons eu une querelle. _____

3. Je n'ai pas pu obtenir leur agrément. _____

4. Vous n'avez pas su vous battre. _____

5. Il a fallu prendre une décision. _____

6. Ils ont voulu changer la Constitution. _____

7. Il a fait un discours devant l'Assemblée. _____

8. Elles sont venues en pleurant. _____

9. Nous avons dû lui retirer ses fonctions. _____

2 Complétez avec les verbes proposés au passé simple.

1. Elle _____ par son frère à un vieux comte. Elle _____ deux enfants et _____ très malheureuse. (*être marié – avoir – être*)

2. L'ennemi _____ avancer jusqu'à leurs lignes ; ils _____ les arrêter ; ils _____ battre en retraite. (*pouvoir – ne pas savoir – devoir*)

3. François Iᵉʳ _____ roi de France de 1515 à 1547. Ses armées _____ remporter la victoire contre les Suisses en 1515. Ce _____ un ami des arts et des lettres : des poètes et des peintres comme Léonard de Vinci _____ à la cour de France. (*être – pouvoir – être – venir*)

3 Écrivez cet extrait de la biographie de Molière en remplaçant les passés composés par des passés simples.

Molière a fait ses études au collège de Clermont de 1636 à 1642. Il a eu très vite une passion pour le théâtre. En 1658, il est venu s'installer à Paris.

Il a eu beaucoup de problèmes avec la censure. En 1664, les autorités ont fait interdire *Tartuffe*. Dans cette pièce, il a voulu combattre l'hypocrisie religieuse.

Il a eu des problèmes de santé et il lui a fallu les régler. Il a eu des problèmes d'argent et il a dû aller en prison pour dettes.

Le Malade imaginaire a été son dernier succès. Il n'a pu en donner que quatre représentations.

_____

_____

_____

_____

_____

Les verbes en -ER et le verbe ALLER

PASSÉ SIMPLE EN : -ai, -as, -a, -âmes, -âtes, -èrent

■ PARLER

je	parlai
tu	parlas
il/elle	parla
nous	parlâmes
vous	parlâtes
ils/elles	parlèrent

Et :
oublier : *j'oubliai*
continuer : *je continuai*
jouer : *je jouai*
créer : *je créai*
gagner : *je gagnai*
travailler : *je travaillai*
payer : *je payai*
appeler : *j'appelai*
jeter : *je jetai*
employer : *j'employai*
mener : *je menai*
acheter : *j'achetai*
congeler : *je congelai*
lever : *je levai*
peser : *je pesai*
semer : *je semai*
espérer : *j'espérai*

■ ALLER

j'	allai
tu	allas
il/elle	alla
nous	allâmes
vous	allâtes
ils/elles	allèrent

Et :
s'en aller : *je m'en allai*

■ SE DÉPÊCHER

je	me	dépêchai
tu	te	dépêchas
il/elle	se	dépêcha
nous	nous	dépêchâmes
vous	vous	dépêchâtes
ils/elles	se	dépêchèrent

Et :
s'ennuyer : *je m'ennuyai*
se promener : *je me promenai*

⚠ La 1re personne du singulier du passé simple des verbes en -er ressemble à celle de l'imparfait sans le « s ».

■ COMMENCER

je	commençai
tu	commenças
il/elle	commença
nous	commençâmes
vous	commençâtes
ils/elles	commencèrent

♪ « ç » (c cédille) devant « a » permet de garder la prononciation [s].

■ MANGER

je	mangeai
tu	mangeas
il/elle	mangea
nous	mangeâmes
vous	mangeâtes
ils/elles	mangèrent

♪ « e » devant « a » permet de garder la prononciation [ʒ].

1 Conjuguez au passé simple.

1. *couper*   Ils lui _____ les vivres.

4. *s'ennuyer* Je _____ à mourir.

2. *se reposer* Nous _____ sous un chêne.

5. *chercher* Elles le _____ toute la nuit.

3. *s'en aller* Elle _____ sans un mot.

6. *lancer* Vous leur _____ un défi.

2 Complétez avec les verbes proposés au passé simple.

1. Il _____ dans notre direction, nous _____ et _____ à nous parler.
(*avancer – saluer – commencer*)

2. Ce jour-là, nous _____ dans la forêt, puis nous _____ au château où nous
_____ lui rendre visite. (*se promener – s'arrêter – aller*)

3. Ils m'_____ une lettre mais je _____ de leur répondre et _____ très
vite leur demande. Ils _____ dans une rage folle. Cet incident _____ un malaise
entre nous. (*envoyer – négliger – oublier – entrer – créer*)

4. Ce soir-là, il _____ à minuit. Il _____ de l'apercevoir parmi les invités. Il lui
_____ un regard furieux et l'_____ avec rudesse. Elle _____ vers lui, il
la _____ et _____ . Nous le _____ s'éloigner. Quelques jours plus
tard, il _____ dans une profonde dépression. (*arriver – essayer – lancer – appeler – s'avancer –
gifler – s'en aller – regarder – sombrer*)

3 Complétez avec les verbes proposés au passé simple.

1. Le lendemain, Frédéric _____ (*se présenter*) chez elle… Elle _____ (*crier*) de loin :
« Je l'ai, je l'ai » puis, le prenant par les oreilles, elle l'_____ (*embrasser*) au front,
le _____ (*remercier*) beaucoup, le _____ (*tutoyer*) et _____ (*vouloir*)
même le faire asseoir sur son lit.

Gustave Flaubert, *L'Éducation sentimentale*

2. On m'_____ (*apporter*) le filet de hareng aux pommes à l'huile, ce qui m'_____
(*arracher*) à ma sorte de rêverie. On m'_____ (*apporter*) le beaujolais, je m'en
_____ (*verser*) un verre…

Ionesco, *Le Solitaire*

3. Avant 1789, la cocarde était toute blanche, le blanc symbolisant la monarchie. Les militaires l'attachaient
au chapeau ou sur la poitrine les jours de fêtes. Le 14 juillet 1789, le maire de Paris _____
(*distribuer*) des cocardes aux couleurs de la ville : bleu et rouge. Quand le roi Louis XVI _____
(*arriver*) à Paris le 17 juillet 1789, Bailly (le maire) et La Fayette lui _____ (*donner*) la première
cocarde tricolore bleu-blanc-rouge. Cette nouvelle cocarde _____ (*symboliser*) l'alliance entre
le peuple et le roi.

Histoire de la cocarde tricolore

Les verbes en -IR

PASSÉ SIMPLE EN « I » : -is, -is, -it, -îmes, -îtes, -irent

■ FINIR

je	finis
tu	finis
il/elle	finit
nous	finîmes
vous	finîtes
ils/elles	finirent

Et :
haïr : *je haïs*
s'enrichir : *je m'enrichis*

■ OUVRIR

j'	ouvris
tu	ouvris
il/elle	ouvrit
nous	ouvrîmes
vous	ouvrîtes
ils/elles	ouvrirent

cueillir : *je cueillis*
souffrir : *je souffris*
acquérir : *j'acquis*

■ (SE) SERVIR

je	(me) servis
tu	(te) servis
il/elle	(se) servit
nous	(nous) servîmes
vous	(vous) servîtes
ils/elles	(se) servirent

partir : *je partis*
dormir : *je dormis*
s'enfuir : *je m'enfuis*

⚠ Le verbe **haïr** garde son tréma à toutes les personnes du passé simple et n'a pas d'accent circonflexe :
je haïs, tu haïs, il haït, nous haïmes, vous haïtes, ils haïrent.

PASSÉ SIMPLE EN « U » : -us, -us, -ut, -ûmes, -ûtes, -urent

■ COURIR

je	courus
tu	courus
il/elle	courut
nous	courûmes
vous	courûtes
ils/elles	coururent

■ MOURIR

je	mourus
tu	mourus
il/elle	mourut
nous	mourûmes
vous	mourûtes
ils/elles	moururent

PASSÉ SIMPLE EN « IN » : -ins, -ins, -int, -înmes, -întes, -inrent

■ SE SOUVENIR

je	me souvins
tu	te souvins
il/elle	se souvint
nous	nous souvînmes
vous	vous souvîntes
ils/elles	se souvinrent

■ TENIR

je	tins
tu	tins
il/elle	tint
nous	tînmes
vous	tîntes
ils/elles	tinrent

⚠ Le verbe **venir** se conjugue comme **tenir** (voir p. 110).

1 **Conjuguez au passé simple.**

1. *mourir* Ils _____ de faim.

3. *ouvrir* Nous _____ les yeux.

2. *finir* Elle _____ par comprendre.

4. *se souvenir* Il _____ de sa promesse.

2 **Mettez au passé simple et faites correspondre les éléments.**

1. *courir* Elle _____

a. de honte.

2. *mourir* Il _____

b. d'un sommeil paisible.

3. *dormir* Je _____

c. comme un voleur.

4. *rougir* Elle _____

d. en héros.

5. *souffrir* Je _____

e. à perdre haleine.

6. *s'enfuir* Il _____

f. comme un damné.

3 **Transformez ces phrases au passé simple.**

1. Les villageois ont accueilli les réfugiés. Les villageois _____.

2. Elle a souffert de la chaleur torride. Elle_____.

3. Ils se sont endormis au petit matin. Ils _____.

4. Les pompiers ont secouru les victimes. Les pompiers _____.

5. Nous sommes partis sans un regret. Nous _____.

4 **Complétez ces faits historiques en conjuguant les verbes au passé simple.**

1. Les Romains _____ (*conquérir*) la Gaule et _____ (*bâtir*) des ponts.

2. En 1900, tout le monde _____ (*accourir*) pour visiter l'Exposition universelle.

3. En 1903, Pierre et Marie Curie _____ (*découvrir*) la radioactivité.

4. En 1914, les hommes _____ (*partir*) à la guerre. Peu en _____ (*revenir*).

5. Sous le général de Gaulle, la France _____ (*sortir*) de l'OTAN.

5 **Complétez au passé simple.**

En 1968, les jeux Olympiques _____ lieu à Mexico : des athlètes   *avoir*

noirs américains _____ de leur victoire pour protester contre le racisme.   *se servir*

Le Français Banbuck _____ le 100 mètres en 10 secondes.   *courir*

L'Américain Fosbury _____ le premier saut en hauteur dorsal et la   *réussir*

Française Colette Besson _____ la médaille d'or sur 400 mètres.   *obtenir*

6 **Citez au passé simple des événements historiques qui ont marqué l'histoire de votre pays.**

_____

_____

Les verbes en *-RE*

PASSÉ SIMPLE EN « I » : *-is, -is, -it, -îmes, -îtes, -irent*

■ DIRE

je	dis
tu	dis
il/elle	dit
nous	dîmes
vous	dîtes
ils/elles	dirent

Et :
rire : *je ris*
conduire : *je conduisis*
écrire : *j'écrivis*
s'inscrire : *je m'inscrivis*

■ ATTENDRE

j'	attendis
tu	attendis
il/elle	attendit
nous	attendîmes
vous	attendîtes
ils/elles	attendirent

Et :
prendre : *je pris*
répondre : *je répondis*
(se) perdre : *je (me) perdis*
peindre : *je peignis*
rejoindre : *je rejoignis*
(se) plaindre : *je (me) plaignis*
coudre : *je cousis*

■ METTRE

je	mis
tu	mis
il/elle	mit
nous	mîmes
vous	mîtes
ils/elles	mirent

Et :
(se) battre : *je (me) battis*
suivre : *je suivis*
interrompre : *j'interrompis*
convaincre : *je convainquis*

■ NAÎTRE

je	naquis
tu	naquis
il/elle	naquit
nous	naquîmes
vous	naquîtes
ils	naquirent

⚠ Les formes du singulier du verbe **dire** sont les mêmes au **présent** et au **passé simple** de l'indicatif. La 2ᵉ personne du pluriel a un accent circonflexe au passé simple.

PASSÉ SIMPLE EN « U » : *-us, -us, -ut, -ûmes, -ûtes, -urent*

■ LIRE

je	lus
tu	lus
il/elle	lut
nous	lûmes
vous	lûtes
ils/elles	lurent

■ CROIRE

je	crus
tu	crus
il/elle	crut
nous	crûmes
vous	crûtes
ils/elles	crurent

Et :
boire : *je bus*
plaire : *je plus*
conclure : *je conclus*
se taire : *je me tus*
résoudre : *je résolus*

■ VIVRE

je	vécus
tu	vécus
il/elle	vécut
nous	vécûmes
vous	vécûtes
ils/elles	vécurent

Et :
connaître : *je connus*
croire : *je crus*

1 **Conjuguez au passé simple.**

1. *dire*   Ils _____ qu'ils étaient absents.   **4.** *attendre* Nous _____ le lendemain.

2. *naître*   Elle _____ dans une famille modeste.   **5.** *lire*   Il _____ la déclaration à haute voix.

3. *résoudre* Nous _____ l'énigme.   **6.** *vivre*   Ils _____ loin de leur pays.

2 **Mettez au passé simple.**

1. Elle a dit oui sans hésiter.   _____

2. Ils ont détruit toute la ville.   _____

3. J'ai écrit à ma famille.   _____

4. Il a connu de grandes joies.   _____

5. Nous avons répondu tous ensemble.   _____

6. Léonard de Vinci a peint *La Joconde*.   _____

7. Elle s'est perdue dans la foule.   _____

8. Ils ont bu à la santé du roi de France.   _____

3 **Complétez ce récit en conjuguant les verbes au passé simple.**

Augustin _____ la femme dans la boutique. Il l'_____   *suivre – entendre*

murmurer une phrase en italien. Il _____ un mot mais   *ne pas comprendre*

il _____ à un complot. Il _____ alors quelques   *croire – attendre*

instants, il _____ les documents dans sa poche, il _____   *mettre – sortir*

discrètement de la boutique et _____ .   *disparaître*

4 **Écrivez ce conte de fées au passé simple.**

Le prince arrive au galop. Il descend de son cheval et s'approche de la princesse endormie. Il la prend dans ses bras. Elle ouvre soudain les yeux et lui sourit. Ils repartent tous deux vers le château. Un mois plus tard, ils se marient. Ils connaissent un bonheur sans nuages. Ils ont des enfants et vivent heureux jusqu'à la fin de leurs jours.

_____

_____

_____

5 **Racontez au passé simple un conte de votre enfance.**

_____

_____

_____

Les verbes en -*OIR*

PASSÉ SIMPLE EN « I » : *-is, -is, -it, -îmes, -îtes, -irent*

■ VOIR

je	vis
tu	vis
il/elle	vit
nous	vîmes
vous	vîtes
ils/elles	virent

■ S'ASSEOIR

je	(m') assis
tu	(t') assis
il/elle	(s') assit
nous	(nous) assîmes
vous	(vous) assîtes
ils/elles	(s') assirent

⚠ Attention à ne pas confondre les 3 personnes du singulier du verbe **voir** au passé simple avec celles du verbe **vivre** au présent :
*Il vécut au XXe siècle et **vit** tous les progrès accomplis pendant ce siècle.*
*Aujourd'hui, il **vit** au Brésil.*

PASSÉ SIMPLE EN « U » : *-us, -us, -ut, -ûmes, -ûtes, -urent*

■ PLEUVOIR : il plut

⚠ Les verbes **pleuvoir** et **plaire** ont la même forme à la 3e personne du singulier du passé simple :
*Ce jour-là il **plut** toute la matinée. – La robe rouge lui **plut** dès qu'elle la vit.*

■ RECEVOIR

je	reçus
tu	reçus
il/elle	reçut
nous	reçûmes
vous	reçûtes
ils/elles	reçurent

Et :
valoir : *je valus*
concevoir : *je conçus*

■ (S')APERCEVOIR

je	(m')aperçus
tu	(t')aperçus
il/elle	(s')aperçut
nous	(nous) aperçûmes
vous	(vous) aperçûtes
ils/elles	(s') aperçurent

Et :
(s')émouvoir : *j'(je m')émus*

1 Conjuguez au passé composé, puis au passé simple.

1. *voir*   Nous _____ / Nous _____ nos espoirs se réaliser.

Elle _____ / Elle _____ le résultat de ses efforts.

2. *s'asseoir*   Il _____ / Il _____ sur le trône.

Ils _____ / Ils _____ tous en rond.

3. *pleuvoir*   Il _____ / Il _____ à torrents.

4. *recevoir*   Ils _____ / Ils _____ le prix Nobel.

Elle _____ / Elle _____ la légion d'honneur.

5. *s'apercevoir*   Je _____ / Je _____ de son absence.

Ils _____ / Ils _____ de sa présence.

2 Complétez au passé simple le récit de ce chef militaire.

Je _____ les cavaliers s'approcher au galop et je _____   *voir – apercevoir*

au loin les canons. Il _____ donner l'ordre de tirer, ce que   *falloir*

je _____ … Mais trop tard ! Les soldats _____ le temps   *faire – ne pas avoir*

de réagir. Nous _____ l'attaque de plein fouet et des   *recevoir*

centaines de soldats _____ . Ce _____ un désastre qui   *mourir – être*

me _____ un blâme de l'empereur ! Il _____ pour moi   *valoir – concevoir*

une haine implacable. Je _____ m'exiler.   *devoir*

3 Soulignez dans ce poème les verbes au passé simple puis donnez-en l'infinitif et le passé composé.

Nous grimpâmes un jour jusqu'à ce livre noir ;   _____   _____

Je ne sais pas comment nous fîmes pour l'avoir,   _____   _____

Mais je me souviens bien que c'était une bible.

Ce vieux livre sentait une odeur d'encensoir.

Nous allâmes ravis dans un coin nous asseoir.   _____   _____

Des estampes partout ! Quel bonheur ! Quel délire !

Nous l'ouvrîmes alors tout grand sur nos genoux,   _____   _____

Et dès le premier mot il nous parut si doux   _____   _____

Qu'oubliant de jouer, nous nous mîmes à lire.

Nous lûmes tous les trois ainsi, tout le matin,   _____   _____

Joseph, Ruth et Booz, le bon Samaritain,

Et toujours plus charmés, le soir nous le relûmes.   _____   _____

Victor Hugo, *Les Feuillantines*

LE PASSÉ ANTÉRIEUR DE L'INDICATIF

- Le passé antérieur se forme avec **être** ou **avoir** au passé simple auquel on ajoute le **participe passé** du verbe à conjuguer.
- Le choix de l'auxiliaire et les règles d'accord du participe passé sont les mêmes que pour le passé composé (voir pp. 60, 74 et 78).

Les verbes *ÊTRE, AVOIR, FAIRE, ALLER, VENIR* et les verbes en *-ER*

◼ ÊTRE

j'	eus	été
tu	eus	été
il/elle	eut	été
nous	eûmes	été
vous	eûtes	été
ils/elles	eurent	été

◼ AVOIR

j'	eus	eu
tu	eus	eu
il/elle	eut	eu
nous	eûmes	eu
vous	eûtes	eu
ils/elles	eurent	eu

◼ FAIRE

j'	eus	fait
tu	eus	fait
il/elle	eut	fait
nous	eûmes	fait
vous	eûmes	fait
ils/elles	eurent	fait

◼ ALLER

je	fus	allé(e)
tu	fus	allé(e)
il/elle	fut	allé(e)
nous	fûmes	allé(e)s
vous	fûtes	allé(e)(s)
ils/elles	furent	allé(e)s

◼ VENIR

je	fus	venu(e)
tu	fus	venu(e)
il/elle	fut	venu(e)
nous	fûmes	venu(e)s
vous	fûtes	venu(e)(s)
ils/elles	furent	venu(e)s

Et :
s'en aller : *je m'en fus allé(e)*

◼ PARLER

j'	eus	parlé
tu	eus	parlé
il/elle	eut	parlé
nous	eûmes	parlé
vous	eûtes	parlé
ils/elles	eurent	parlé

Et :
oublier : *j'eus oublié*
continuer : *j'eus continué*
jouer : *j'eus joué*
créer : *j'eus créé*
appeler : *j'eus appelé*
jeter : *j'eus jeté*
payer : *j'eus payé*
acheter : *j'eus acheté*
espérer : *j'eus espéré*

◼ SE DÉPÊCHER

je	me fus	dépêché(e)
tu	te fus	dépêché(e)
il/elle	se fut	dépêché(e)
nous	nous fûmes	dépêché(e)s
vous	vous fûtes	dépêché(e)(s)
ils/elles	se furent	dépêché(e)s

Et :
se promener : *je me fus promené(e)*
se lever : *je me fus levé(e)*
s'ennuyer : *je me fus ennuyé(e)*

1 Conjuguez au passé-antérieur.

1. *être* Nous _____ heureux.

2. *avoir* Je _____ plus de chance.

3. *faire* Il _____ des promesses.

4. *aller* Elles _____ se plaindre.

5. *venir* Vous _____ ici.

6. *refuser* Elle lui _____ .

7. *prier* Nous l'_____ .

8. *songer* Ils y _____ .

2 Mettez le verbe proposé au passé antérieur.

1. Dès qu'ils (*être informés*), ils se dépêchèrent de prendre une décision.

_____

2. Tant qu'elle (*ne pas avoir*) confiance, elle ne s'engagea pas.

_____

3. Aussitôt qu'ils (*faire connaissance*), il lui présenta son projet.

_____

4. Après qu'elle (*revenir*), il retrouva sa joie de vivre.

_____

5. Quand je (*arriver*) au sommet de la montagne, je m'arrêtai pour contempler la vallée.

_____

6. Lorsque vous (*déjeuner*), vous sortîtes, comme à l'habitude, pour faire votre promenade dans la forêt.

_____

7. Une fois qu'il (*évoquer*) ce souvenir, son visage s'illumina.

_____

8. Quand nous (*se promener*), nous entrâmes nous réchauffer au coin du feu.

_____

3 Transformez les phrases pour exprimer une antériorité en conjuguant le verbe souligné au passé antérieur.

1. Il lui <u>adressa</u> la parole et elle le toisa avec colère.

Une fois que _____ .

2. Nous <u>oubliâmes</u> l'incident, puis nous passâmes au salon pour écouter le concert.

Après que _____ .

3. Ils <u>signèrent</u> le contrat, ensuite il tendit vers eux une main reconnaissante.

Quand _____ .

4. Ils <u>arrivèrent</u>, <u>entrèrent</u>; aussitôt elle se précipita pour les accueillir et les saluer.

Aussitôt que _____ .

5. Elle <u>commença</u> à jouer le requiem, aussitôt nous fûmes émus aux larmes.

Dès que _____ .

Les verbes en -*IR*

- Le passé antérieur se forme avec **être** ou **avoir** au **passé simple** auquel on ajoute le **participe passé** du verbe à conjuguer.
- Le choix de l'auxiliaire et les règles d'accord du participe passé sont les mêmes que pour le passé composé (voir pp. 60, 74 et 78).

■ FINIR

j'	eus	fini
tu	eus	fini
il/elle	eut	fini
nous	eûmes	fini
vous	eûtes	fini
ils/elles	eurent	fini

■ SE SOUVENIR

je	me fus	souvenu(e)
tu	te fus	souvenu(e)
il/elle	se fut	souvenu(e)
nous	nous fûmes	souvenu(e)s
vous	vous fûtes	souvenu(e)(s)
ils/elles	se furent	souvenu(e)s

Et :
s'enrichir : *je me fus enrichi(e)*
se servir : *je me fus servi(e)*
s'enfuir : *je me fus enfui(e)*

⚠ Haïr : j'eus haï

■ DORMIR

j'	eus	dormi
tu	eus	dormi
il/elle	eut	dormi
nous	eûmes	dormi
vous	eûtes	dormi
ils/elles	eurent	dormi

Et :
cueillir : *j'eus cueilli*
fuir : *j'eus fui*
acquérir : *j'eus acquis*

■ OUVRIR

j'	eus	ouvert
tu	eus	ouvert
il/elle	eut	ouvert
nous	eûmes	ouvert
vous	eûtes	ouvert
ils/elles	eurent	ouvert

Et :
courir : *j'eus couru*
tenir : *j'eus tenu*
offrir : *j'eus offert*
couvrir : *j'eus couvert*

■ PARTIR

je	fus	parti(e)
tu	fus	parti(e)
il/elle	fut	parti(e)
nous	fûmes	parti(e)s
vous	fûtes	parti(e)(s)
ils/elles	furent	parti(e)s

Et :
sortir : *je fus sorti(e)*
venir : *je fus venu(e)*
devenir : *je fus devenu(e)*
mourir : *je fus mort(e)*

1   Conjuguez au passé antérieur.

1. *agir*   Je _____ plus vite.   **4.** *haïr*   Elle nous _____ à jamais.

2. *cueilli*   Nous _____ les roses.   **5.** *devenir*   Ils _____ des héros.

3. *sortir*   Vous _____ à l'aube.   **6.** *s'enfuir*   Elles _____ à l'étranger.

2   Mettez les verbes proposés au passé antérieur.

1. Une fois qu'il (*parcourir*) la lettre et qu'il (*ouvrir*) avec son canif la toile qui enfermait les papiers, il les examina.

_____

2. Quand ils (*finir*) de parler, un bourdonnement remplit la salle.

_____

3. Aussitôt que la porte (*s'ouvrir*), il aperçut sa mère en robe noire.

_____

4. Lorsqu'ils (*choisir*) le lieu du duel, ils s'en allèrent vers le fond du parc pour y désigner les témoins.

_____

5. Après qu'il (*souffrir*) de son mépris, il se résolut à rompre leur relation.

_____

6. Aussitôt que vous (*partir*), la neige se mit à tomber pendant plusieurs jours.

_____

3   Organisez les éléments proposés pour exprimer l'antériorité avec le passé antérieur selon le modèle, en variant les pronoms.

ouvrir la porte / trouver trois hommes en noir / quand

→ *Quand je fus arrivée devant la porte, je trouvai trois hommes en noir.*

1. se sentir mieux / recommencer à sortir régulièrement la nuit / lorsque

_____

2. couvrir le corps d'un drap blanc / le transporter dans la calèche / une fois que

_____

3. mourir / se rendre compte du rôle qu'il avait joué dans sa vie / après que

_____

4. découvrir la trahison / devenir fou d'indignation / aussitôt que

_____

5. ne pas offrir sa confiance / ne pas changer de comportement / tant que

_____

6. fuir la région / sombrer dans la folie / quand

_____

Les verbes en -RE

- Le passé antérieur se forme avec **être** ou **avoir** au **passé simple** auquel on ajoute le **participe passé** du verbe à conjuguer.
- Le choix de l'auxiliaire et les règles d'accord du participe passé sont les mêmes que pour le passé composé (voir pp. 60, 74 et 78).

■ DIRE

j'	eus	dit
tu	eus	dit
il/elle	eut	dit
nous	eûmes	dit
vous	eûtes	dit
ils/elles	eurent	dit

Et :
conduire : *j'eus conduit*
écrire : *j'eus écrit*
rire : *j'eus ri*
lire : *j'eus lu*

■ CROIRE

j'	eus	cru
tu	eus	cru
il/elle	eut	cru
nous	eûmes	cru
vous	eûtes	cru
ils/elles	eurent	cru

Et :
boire : *j'eus bu*
plaire : *j'eus plu*
lire : *j'eus lu*

■ S'INSCRIRE

je	me	fus	inscrit(e)
tu	te	fus	inscrit(e)
il/elle	se	fut	inscrit(e)
nous	nous	fûmes	inscrit(e)s
vous	vous	fûtes	inscrit(e)(s)
ils/elles	se	furent	inscrit(e)s

Et :
se distraire : *je me fus distrait(e)*
se taire : *je me fus tu(e)*
se perdre : *je me fus perdu(e)*
se battre : *je me fus battu(e)*
se plaindre : *je me fus plaint(e)*

■ ATTENDRE

j'	eus	attendu
tu	eus	attendu
il/elle	eut	attendu
nous	eûmes	attendu
vous	eûtes	attendu
ils/elles	eurent	attendu

Et :
répondre : *j'eus répondu*
perdre : *j'eus perdu*
peindre : *j'eus peint*
rejoindre : *j'eus rejoint*
coudre : *j'eus cousu*
résoudre : *j'eus résolu*
connaître : *j'eus connu*
battre : *j'eus battu*
vivre : *j'eus vécu*
conclure : *j'eus conclu*
interrompre : *j'eus interrompu*
convaincre : *j'eus convaincu*
croître : *j'eus crû*

■ METTRE

j'	eus	mis
tu	eus	mis
il/elle	eut	mis
nous	eûmes	mis
vous	eûtes	mis
ils/elles	eurent	mis

Et :
prendre : *j'eus pris*
suivre : *j'eus suivi*

■ NAÎTRE

je	fus	né(e)
tu	fus	né(e)
il/elle	fut	né(e)
nous	fûmes	né(e)s
vous	fûtes	né(e)(s)
ils/elles	furent	né(e)s

Et :
descendre : *je fus descendu(e)*

1 Conjuguez au passé composé puis au passé antérieur.

1. *souscrire* Elle _____, _____.

2. *écrire* Je _____, _____.

3. *lire* Nous _____, _____.

4. *boire* Ils _____, _____.

5. *se taire* Vous _____, _____.

6. *se perdre* Il _____, _____.

7. *suivre* Nous _____, _____.

8. *rejoindre* Je _____, _____.

2 Mettez le verbe proposé au passé antérieur.

1. Une fois qu'il (*vivre*) quelques années dans cette nouvelle contrée, il recommença à s'ennuyer.

_____

2. Dès que je (*dire*) ce que je pensais de la situation, je quittai l'endroit avec précipitation.

_____

3. Lorsque Paul (*connaître*) la vérité, une violente colère s'empara de lui.

_____

4. Peu de temps après qu'elle (*naître*), sa mère mourut à son tour.

_____

5. Lorsqu'elle (*prendre*) le temps de réfléchir, elle se rendit compte de son erreur.

_____

3 Organisez les éléments proposés pour exprimer un rapport d'antériorité avec le passé antérieur en variant les pronoms.

1. une fois que / mettre son chapeau / prendre congé

_____

2. aussitôt que / répondre avec violence / regretter son emportement

_____

3. dès que / apprendre la nouvelle / répandre la nouvelle dans la ville

_____

4. quand / lire le contenu de la lettre / méditer pendant des jours

_____

4 Complétez la phrase avec le verbe proposé au passé antérieur.

La vie devint difficile quand :

1. ils _____ *comprendre*

2. je _____ *surprendre*

3. elle _____ *perdre*

4. nous _____ *interrompre*

Les verbes en -*OIR*

- Le passé antérieur se forme avec **être** ou **avoir** au **passé simple** auquel on ajoute le **participe passé** du verbe à conjuguer.
- Le choix de l'auxiliaire et les règles de l'accord du participe passé sont les mêmes que pour le passé composé (voir pp. 60, 74 et 78).

■ POUVOIR

j'	eus	pu
tu	eus	pu
il/elle	eut	pu
nous	eûmes	pu
vous	eûtes	pu
ils/elles	eurent	pu

Et :
devoir : *j'eus dû*
savoir : *j'eus su*
valoir : *j'eus valu*

■ VOULOIR

j'	eus	voulu
tu	eus	voulu
il/elle	eut	voulu
nous	eûmes	voulu
vous	eûtes	voulu
ils/elles	eurent	voulu

■ S'ASSEOIR

je	me	fus	assis(e)
tu	te	fus	assis(e)
il/elle	se	fut	assis(e)
nous	nous	fûmes	assis(e)s
vous	vous	fûtes	assis(e)(s)
ils/elles	se	furent	assis(es)

■ FALLOIR : il eut fallu

■ PLEUVOIR : il eut plu

■ VOIR

j'	eus	vu
tu	eus	vu
il/elle	eut	vu
nous	eûmes	vu
vous	eûtes	vu
ils/elles	eurent	vu

■ RECEVOIR

j'	eus	reçu
tu	eus	reçu
il/elle	eut	reçu
nous	eûmes	reçu
vous	eûtes	reçu
ils/elles	eurent	reçu

■ S'APERCEVOIR

je	me	fus	aperçu(e)
tu	te	fus	aperçu(e)
il/elle	se	fut	aperçu(e)
nous	nous	fûmes	aperçu(e)s
vous	vous	fûtes	aperçu(e)(s)
ils/elles	se	furent	aperçu(e)s

Et :
s'émouvoir : *je me fus ému(e)*

1 Transformez les passés composés en passés antérieurs.

1. Il a fallu : _____

2. Nous avons pu : _____

3. Vous avez dû : _____

4. Il a voulu : _____

5. Elles ont su : _____

6. Je me suis aperçu : _____

7. Elle a reçu : _____

8. Ils ont aperçu : _____

2 Mettez les verbes au passé antérieur.

1. Après qu'il (*pleuvoir*), le jardin se mit à verdir.

_____

2. Quand ils (*recevoir*) les ordres, ils les exécutèrent.

_____

3. Lorsqu'elle (*entrevoir*) son amoureux, elle fut prise d'un trouble.

_____

4. Une fois que je (*s'apercevoir*) du vol, j'entrepris une enquête.

_____

5. Dès qu'ils (*pouvoir*) rejoindre leur régiment, ils se sentirent en sécurité.

_____

6. Après qu'elle (*émouvoir*) son entourage par ses pleurs, elle se sentit embarrassée.

_____

7. Tant que je (*ne pas revoir*) la maison de mon enfance, j'éprouvai un sentiment de solitude.

_____

3 Organisez les éléments proposés pour exprimer l'antériorité avec le passé antérieur en variant les pronoms.

1. tant que / ne pas pouvoir voir mon frère / rester enfermé dans ma chambre

_____

2. dès que / percevoir la vérité / changer d'attitude

_____

3. après que / recevoir le message / comprendre le jeu

_____

4. quand / s'asseoir / commencer à expliquer la situation

_____

5. aussitôt que / s'apercevoir du danger / décider de prendre la fuite

_____

6. une fois que / pouvoir se libérer / s'empresser de partir

_____

1 Dans les textes suivants, mettez les verbes proposés au présent.

1. Jacques et Catherine _____ (être) toujours ensemble. Ils _____ (vivre) dans le sud de la France. Ils _____ (tenir) une librairie dans le centre de la ville. Le matin, ils _____ (arriver) au magasin à 9 heures. Dans le quartier, tout le monde les _____ (apprécier) parce qu'ils _____ (avoir) un grand cœur. Ils _____ (faire) plaisir à tous leurs clients. Ils _____ (sourire) tout le temps. Jacques _____ (raconter) des anecdotes du matin au soir. Catherine _____ (nourrir) une passion : elle _____ (adorer) le cinéma. Elle y _____ (aller) deux fois par semaine. Jacques _____ (faire) de la trompette. Il _____ (jouer) dans un petit orchestre tous les dimanches. Ils _____ (former) un couple charmant.

2. Depuis un mois, je _____ (travailler) à la poste où je _____ (remplacer) un employé qui est malade. Toute la journée, je _____ (envoyer) des paquets, je _____ (payer) des mandats, je _____ (vendre) des timbres, je _____ (remplir) des formulaires. Ce _____ (ne pas être) toujours passionnant, quelquefois je _____ (s'ennuyer) un peu. Je _____ (vivre) dans un petit appartement que nous _____ (partager), une amie et moi. Elle _____ (étudier) à la fac de sciences. Nous _____ (mener) une petite vie tranquille. Le soir, nous _____ (se retrouver) pour dîner. Le samedi, nous _____ (recevoir) souvent des amis à dîner ou nous _____ (aller) danser. Le dimanche, nous _____ (se lever) tard et je _____ (étudier) jusqu'au soir parce que je _____ (devoir) passer un concours dans trois mois.

2 Écrivez la biographie de cet auteur en conjuguant les verbes proposés au présent.

Jules Barbey d'Aurevilly _____ (naître) le 2 novembre 1808. Il _____ (venir) au monde un jour d'hiver sombre et glacé. Sa famille _____ (faire) partie de la récente noblesse. Il _____ (passer) son enfance à Lognes, en Normandie. Il _____ (obtenir) son baccalauréat en 1829. Il _____ (se proclamer) républicain et cela _____ (provoquer) la mort de son père. Il _____ (partir) à la faculté de droit de Caen. Il _____ (séduire) la jeune femme de son cousin et il _____ (fuir) Paris pour éviter le scandale. Lui et la jeune femme _____ (rester) marqués par cette passion malheureuse.

En 1833, il _____ (recevoir) son diplôme de droit et il _____ (pouvoir), grâce à l'héritage de son oncle, mener la belle vie. Ses amis parisiens et lui _____ (jouer) les dandies, _____ (fréquenter) les salons et _____ (s'enivrer) le soir dans les restaurants. Il _____ (écrire) des nouvelles et _____ (publier) L'Amour impossible en 1841. Il _____ (souffrir) de ne pas connaître la gloire littéraire. Pour survivre, il _____ (*devenir*) rédacteur en chef de la *Revue du monde catholique*. Après la révolution de 1848, les journaux _____ (*ne pas vouloir*) publier ses articles royalistes. En 1851, il _____ (*connaître*) la célébrité quand il _____ (*publier*) un roman sulfureux. Toutes ses nouvelles _____ (*être*) saisies, interdites : cet écrivain d'extrême droite _____ (*ne pas épargner*) personne et _____ (*polémiquer*). C'est en 1874 que le public _____ (*découvrir*) son œuvre et que les journaux lui _____ (*ouvrir*) à nouveau leurs tribunes.

En 1889, le vieux dandy _____ (*mourir*) dans son petit appartement, terrassé par une hémorragie.

À votre tour, écrivez au présent de l'indicatif la biographie d'un de vos auteurs préférés ou d'un personnage historique que vous admirez.

_____

_____

_____

_____

_____

_____

_____

3 **Mettez les verbes au présent puis à l'imparfait.**

faire	je _____, _____	*rougir*	elle _____, _____	*surprendre*	je _____, _____
venir	il _____, _____	*servir*	je _____, _____	*détruire*	ils _____, _____
aller	tu _____, _____	*essayer*	vous _____, _____	*boire*	nous _____, _____
devoir	elles _____, _____	*placer*	nous _____, _____	*recouvrir*	elle _____, _____
pouvoir	nous _____, _____	*croire*	tu _____, _____	*falloir*	il _____, _____

4 **Mettez les verbes à l'imparfait.**

Ce _____ (*être*) un beau soir d'automne. La nuit _____ (*venir*), le ciel _____ (*être*) encore clair à l'ouest, mais _____ (*s'assombrir*). Les lampadaires _____ (*briller*) faiblement. Je _____ (*remonter*) les quais de la rive gauche vers le pont des Arts. On _____ (*voir*) luire le fleuve, entre les boîtes fermées des bouquinistes. Il y _____ (*avoir*) peu de monde sur les quais : Paris _____ (*manger*) déjà. Je _____ (*fouler*) les feuilles jaunes et poussiéreuses qui _____ (*rappeler*) encore l'été. Le ciel _____ (*se remplir*) peu à peu d'étoiles qu'on _____ (*apercevoir*) fugitivement en s'éloignant d'un lampadaire vers un autre. Je _____ (*goûter*) le silence revenu, la douceur du soir, Paris vide. Je _____ (*être*) content.

Albert Camus, *La Chute*, Gallimard, 1956

5 Transformez les présents en imparfaits puis en passés composés.

1. elle va : _____, _____

2. je voyage : _____, _____

3. ils divorcent : _____, _____

4. tu exiges : _____, _____

5. elle essuie : _____, _____

6. vous balayez : _____, _____

7. j'enlève : _____, _____

8. il décède : _____, _____

9. elle se blottit : _____, _____

10. nous venons : _____, _____

11. je me travestis : _____, _____

12. il admet : _____, _____

13. vous recueillez : _____, _____

14. j'acquiers : _____, _____

15. je maintiens : _____, _____

16. vous comprenez : _____, _____

6 Conjuguez les verbes pronominaux proposés au passé composé à la personne demandée.

1. *s'endormir*   il _____

2. *s'interrompre*   elle _____

3. *se battre*   ils _____

4. *se plaindre*   elles _____

5. *se convaincre*   nous _____

6. *se distraire*   je _____

7. *s'introduire*   elle _____

8. *se suivre*   ils _____

9. *se revoir*   vous _____

10. *s'apercevoir*   tu _____

11. *se satisfaire*   je _____

12. *s'asseoir*   nous _____

7 Complétez le texte avec les verbes proposés en les conjuguant au passé composé.

Tous _____ quand je leur _____ mon aventure   *rire – raconter*

mais aucun _____ de moi. « Voilà, cela paraît invraisemblable   *ne (pas) se moquer*

mais c'est l'histoire qui m'_____, que je _____ et   *arriver – vivre*

qui me _____ pessimiste », _____-je _____   *rendre – dire*

en soupirant. Une des filles m'_____ attentivement et   *regarder*

m'_____ une question. Je lui _____ :   *poser – répondre*

« Il _____ et il _____. »   *disparaître – ne jamais revenir*

8 Complétez le texte en choisissant parmi les verbes proposés et en les conjuguant
au plus-que-parfait.

avoir – se marier – partir – créer – raconter – combattre – rencontrer – devenir – s'adapter – revenir

Ce soir-là, grand-père nous _____ sa vie lorsque, pendant la guerre de 14-18, il _____

dans les tranchées. À son retour, il _____ grand-mère et ils _____ . Puis ils _____

faire fortune au Canada où ils _____ une petite entreprise. Il _____ le plus riche

entrepreneur de la région. Ils _____ à leur nouvelle vie, _____ trois filles et

trente ans plus tard, ils _____ en France.

9 **Transformez les présents en futurs.**

1. je vois : _____

2. il sait : _____

3. tu réponds : _____

4. elle souffre : _____

5. je punis : _____

6. il crée : _____

7. nous venons : _____

8. vous croyez : _____

9. ils peignent : _____

10 **Mettez les verbes proposés au futur.**

Chers amis,

Nous _____ (*partir*) pour Athènes le dimanche matin. Quand vous _____ (*arriver*),

vous _____ (*prendre*) la clé chez les voisins car le gardien _____ (*être*) absent ce jour-là.

Il _____ (*falloir*) débrancher l'alarme avant d'entrer. Vous _____ (*attendre*) une minute,

puis vous _____ (*pouvoir*) pénétrer dans la maison. Dans le réfrigérateur, il y _____ (*avoir*) des

provisions. Vous _____ (*devoir*) sans doute laisser les volets fermés dans la journée car il _____

(*faire*) très chaud. Aurélien _____ (*venir*) vous rendre visite dans le courant de la semaine.

Bon séjour. Amitiés. Lucile

11 **Organisez les éléments pour exprimer l'antériorité avec le futur antérieur.**

1. Quand / rejoindre ses amis / partir ensemble en vacances.

2. Tant que / ne pas présenter des excuses / ne pas vouloir la revoir.

3. Dès que / finir ce roman / se mettre à écrire pour le théâtre.

4. Lorsque / arriver à l'aéroport / louer une voiture.

12 **Récrivez cette biographie au passé simple.**

Charles Baudelaire est né à Paris le 9 avril 1821. Son père meurt et sa mère se remarie avec un officier.

L'enfant prend son beau-père en aversion. Après son baccalauréat, il ne veut qu'être écrivain.

Il fréquente la jeunesse littéraire du Quartier latin. Il effraie sa famille par ses aventures et est envoyé

aux Indes. Il revient très vite à Paris. Il se lie avec Jeanne Duval dont il reste l'amant toute sa vie.

Il participe au mouvement romantique, joue au dandy et fait des dettes. En 1857, la publication

des *Fleurs du mal* fait scandale. Il doit payer une forte amende. De jeunes poètes le soutiennent.

Sa santé commence à se dégrader. Il souffre de syphilis et combat la douleur en fumant de l'opium.

Il s'éteint à 46 ans dans les bras de sa mère.

13 **Complétez les phrases avec les verbes au passé simple ou au passé antérieur.**

1. Quand il lui _____ (*avouer*) son amour, il lui _____ (*dire*) qu'il fallait en parler à son père.

2. Quand il _____ (*se retirer*), on nous _____ (*conduire*) à nos chambres.

3. Après que le cocher me _____ (*apercevoir*), il _____ (*s'avancer*) vers moi.

4. Tant que l'enfant _____ (*ne pas atteindre*) l'âge de cinq ans, elle _____ (*s'inquiéter*).

L'IMPÉRATIF PRÉSENT

- L'impératif présent se forme sur la 2ᵉ personne du singulier (*tu*) et les 1ʳᵉ et 2ᵉ personnes du pluriel (*nous*, *vous*) du **présent** de l'indicatif.

Les verbes *ÊTRE*, *AVOIR*, *VOULOIR*, *SAVOIR*, *ALLER* et les verbes en *-ER*

VERBES IRRÉGULIERS

■ ÊTRE	■ AVOIR	■ VOULOIR	■ SAVOIR
Sois !	Aie !	Veuille ! / Veux !	Sache !
Soyons !	Ayons !	Voulons !	Sachons !
Soyez !	Ayez !	Veuillez ! / Voulez !	Sachez !

⚠ **Veuillez** a le sens de « s'il vous plaît » dans la langue formelle :
Veuillez remplir ce formulaire.
Veuillez m'excuser.

VERBES RÉGULIERS

- Pour les verbes en *-er*, la 2ᵉ personne du singulier perd le « s ».

■ ALLER	■ PARLER	■ SE DÉPÊCHER	■ MANGER
Va !	Parle !	Dépêche-toi !	Mange !
Allons !	Parlons !	Dépêchons-nous !	Mangeons !
Allez !	Parlez !	Dépêchez-vous !	Mangez !

⚠ Avec les pronoms « **y** » et « **en** », il faut rétablir le « **s** » de la 2ᵉ personne du singulier :
Vas-y ! – Parles-en ! – Manges-en !
S'en aller : *Va-t'en ! – Allons-nous-en ! – Allez-vous-en !*

■ APPELER	■ ACHETER	■ PAYER
Appelle !	Achète !	Paye ! / Paie !
Appelons !	Achetons !	Payons !
Appelez !	Achetez !	Payez !

1   Conjuguez à l'impératif présent.

1. être sage

_____

_____

_____

2. y aller

_____

_____

3. épeler son nom

_____

_____

_____

4. se préparer vite

_____

_____

_____

5. ne pas avoir honte

_____

_____

6. se lever tôt

_____

_____

_____

7. savoir se contrôler

_____

_____

_____

8. payer par chèque

_____

_____

9. en manger un peu

_____

_____

_____

2   Mettez les verbes à la 2ᵉ personne de l'impératif (*tu*).

_____ (*s'approcher*) ! _____ (*regarder*) ce que Gilles m'a offert ! _____-y (*aller*) ! C'est beau, non ? Mais _____ (*toucher*) ! _____ (*admirer*) la qualité ! _____-le (*essayer*) ! _____ (*aller*) dans ma chambre ! _____ (*fermer*) la porte ! _____ (*se dépêcher*) !... Alors ? Mais _____ (*parler*) ! _____ (*ne pas avoir*) peur ! _____ (*être*) honnête ! Ah ! non ! _____ (*ne pas faire*) cette tête ! Mais... _____ (*écouter*) ! _____ (*ne pas être*) fâché !

3   Mettre les verbes à l'impératif présent selon le modèle.

Donner du gâteau aux enfants (*tu*).   →   *Donne du gâteau aux enfants !*

1. Emmener les enfants à l'école (*vous*).   → _____ !

2. Ne pas oublier ton frère (*tu*).   → _____ !

3. Appeler Paul et Marie (*nous*).   → _____ !

4. En parler au groupe (*nous*).   → _____ !

5. Être gentils avec ses grands-parents (*vous*).   → _____ !

6. Étudier parfaitement ses leçons (*vous*).   → _____ !

7. Y aller à pied (*tu*).   → _____ !

8. Ranger ses affaires (*nous*).   → _____ !

9. S'habiller vite (*tu*).   → _____ !

10. Se comporter en adultes (*vous*).   → _____ !

Les verbes en *-IR* / *-RE* / *-OIR*

- L'impératif présent se forme sur la 2ᵉ personne du singulier (*tu*) et les 1ʳᵉ et 2ᵉ personnes du pluriel (*nous*, *vous*) du **présent** de l'indicatif.
- On ne supprime pas le « s » de la 2ᵉ personne du singulier du présent, sauf exceptions (voir ci-dessous).

■ FINIR	■ OUVRIR	■ PARTIR	■ VENIR	■ SE SOUVENIR
Finis !	Ouvre !	Pars !	Viens !	Souviens-toi !
Finissons !	Ouvrons !	Partons !	Venons !	Souvenons-nous !
Finissez !	Ouvrez !	Partez !	Venez !	Souvenez-vous !

Et : haïr : *haïs, haïssons, haïssez* courir : *cours, courons, courez*
dormir : *dors, dormons, dormez* s'enrichir : *enrichis-toi, enrichissons-nous, enrichissez-vous*
cueillir : *cueille, cueillons, cueillez* se servir : *sers-toi, servons-nous, servez-vous*
tenir : *tiens, tenons, tenez*

⚠ Les verbes du type **cueillir** et **ouvrir**, qui se conjuguent au présent de l'indicatif comme des verbes en *-er*, n'ont **pas de** « s » à la 2ᵉ personne du singulier.

■ SOURIRE	■ DIRE	■ PRENDRE	■ CROIRE	■ FAIRE
Souris !	Dis !	Prends !	Crois !	Fais !
Sourions !	Disons !	Prenons !	Croyons !	Faisons !
Souriez !	Dites !	Prenez !	Croyez !	Faites !

Et :
conduire : *conduis, conduisez, conduisons* répondre : *réponds, répondons, répondez*
écrire : *écris, écrivons, écrivez* peindre : *peins, peignons, peignez*
attendre : *attends, attendons, attendez* résoudre : *résous, résolvons, résolvez*
rejoindre : *rejoins, rejoignons, rejoignez* coudre : *couds, cousons, cousez*
connaître : *connais, connaissons, connaissez* suivre : *suis, suivons, suivez*
vivre : *vis, vivons, vivez* interrompre : *interromps, interrompons, interrompez*
conclure : *conclus, concluons, concluez* convaincre : *convaincs, convainquons, convainquez*
lire : *lis, lisons, lisez*

■ (S')INSCRIRE	■ (SE) PLAINDRE	■ SE TAIRE
Inscris(-toi) !	Plains(-toi) !	Tais-toi !
Inscrivons(-nous) !	Plaignons(-nous) !	Taisons-nous !
Inscrivez(-vous) !	Plaignez(-vous) !	Taisez-vous !

Et :
se distraire : *distrais-toi, distrayons-nous, distrayez-vous* se battre : *bats-toi, battons-nous, battez-vous*

■ VOIR	■ RECEVOIR	■ S'ASSEOIR	
Vois !	Reçois !	Assieds-toi !	Assois-toi !
Voyons !	Recevons !	Asseyons-nous !	Assoyons-nous !
Voyez !	Recevez !	Asseyez-vous !	Assoyez-vous !

1 Conjuguez aux trois personnes de l'impératif.

1. *choisir* _____ un nombre ! _____ _____

2. *sortir* _____ d'ici ! _____ _____

3. *attendre* _____ une minute ! _____ _____

4. *faire* _____ attention ! _____ _____

5. *se servir* _____ d'abord ! _____ _____

2 Conjuguez les verbes proposés à la 2ᵉ personne du singulier de l'impératif (*tu*) et reliez les éléments.

1. *se perdre* Ne _____ pas !   **a.** *écrire* _____-les séparément !

2. *contredire* Ne le _____ pas !   **b.** *prendre* _____ une carte !

3. *s'arrêter* Ne _____ pas !   **c.** *revenir* _____ immédiatement !

4. *mentir* Ne _____ pas !   **d.** *se taire* _____ !

5. *partir* Ne _____ pas !   **e.** *obéir* _____ !

6. *confondre* Ne les _____ pas !   **f.** *dire* _____-moi la vérité !

Reliez un élément de chaque colonne pour faire des phrases à la 2ᵉ personne du pluriel (*vous*).

Ne vous perdez pas, prenez une carte ! _____

_____

_____

3 Complétez ce discours à la 1ʳᵉ personne du pluriel de l'impératif (*nous*).

_____ nos forces ! _____ pour défendre nos intérêts !   *unir – se battre*

_____ à mieux nous connaître et _____ plus solidaires !   *apprendre – devenir*

_____ des actions efficaces et _____ de respecter   *entreprendre – se promettre*

nos engagements ! _____ de faire entendre notre voix !   *ne pas craindre*

_____ dans la rue, si nécessaire !   *descendre*

4 Complétez ces publicités avec les verbes qui conviennent conjugués à l'impératif.
s'endormir – s'offrir – courir – réussir

1. Avec les baskets Rabuk _____ comme un athlète !

2. _____ une semaine de rêve au Sénégal avec le Club du Soleil !

3. _____ paisiblement tous les soirs sur les matelas Samva !

4. Grâce à la méthode Memoris _____ tous vos examens !

5 Écrivez des slogans publicitaires pour des produits que vous utilisez ou pour des produits imaginaires.

LE CONDITIONNEL PRÉSENT

- Le conditionnel présent de ces verbes se forme avec le **radical** qui est **irrégulier** auquel on ajoute les terminaisons : **-ais, -ais, -ait, -ions, -iez, -aient**.

⚠ Ces terminaisons sont celles de l'imparfait de l'indicatif.

Les verbes *ÊTRE*, *AVOIR*, *ALLER*, *VENIR* et *FAIRE*

■ ÊTRE

je	serais
tu	serais
il/elle	serait
nous	serions
vous	seriez
ils/elles	seraient

■ AVOIR

j'	aurais
tu	aurais
il/elle	aurait
nous	aurions
vous	auriez
ils/elles	auraient

♪ La liaison dans **nous‿aurions**, **vous‿auriez**, **ils‿auraient**, **elles‿auraient** est obligatoire.
     [z]   [z]   [z]   [z]

■ ALLER

j'	irais
tu	irais
il/elle	irait
nous	irions
vous	iriez
ils/elles	iraient

Et :
s'en aller : *je m'en irais*

■ VENIR

je	viendrais
tu	viendrais
il/elle	viendrait
nous	viendrions
vous	viendriez
ils/elles	viendraient

♪ La liaison dans **nous‿irions**, **vous‿iriez**, **ils‿iraient**, **elles‿iraient** est obligatoire.
     [z]   [z]   [z]   [z]

■ FAIRE

je	ferais
tu	ferais
il/elle	ferait
nous	ferions
vous	feriez
ils/elles	feraient

E X E R C I C E S

1   Transformez les futurs en conditionnels présents selon le modèle.

Vous pensez...   *Oui, on a dit :*

1. qu'elle sera élue ?   qu'*elle serait élue.*

2. que vous ferez le discours d'ouverture ?   que _____

3. qu'il ira en visite officielle ?   que _____

4. qu'elles auront des crédits ?   que _____

5. qu'ils viendront en avion ?   que _____

2   Mettez les verbes au conditionnel présent et reliez les éléments.

1. Sans son téléphone portable,   a. elle _____ d'études (*ne pas faire*).

2. Sans votre aide,   b. nous _____ en Chine (*ne pas aller*).

3. Sans cette bourse,   c. ils _____ avec nous (*venir*).

4. Sans cette subvention,   d. il _____ perdu (*être*).

5. Sans cet incident,   e. je _____ des difficultés (*avoir*).

3   Complétez avec « être », « avoir », « aller », « venir » et « faire » au conditionnel présent puis reliez les éléments.

Au cas où...

1. tu _____ en notre absence,   a. appelez-nous !

2. vous _____ en Normandie samedi, b. ne sois pas fâché !

3. je _____ absent demain,   c. viens nous voir !

4. tu _____ un détour par Lille,   d. prends la clé chez le gardien !

5. vous _____ une idée,   e. prévenez-nous !

4   Complétez ce texte en conjuguant les verbes au conditionnel présent.

Nous _____ une maison à la campagne. Il y _____ un grand parc   *avoir* (2)

avec un étang. Tous les jours, je _____ pêcher et tu _____   *aller – venir*

me rejoindre quand tu _____ le temps. Le samedi, des   *avoir*

amis _____ nous rendre visite. Nous _____   *venir – faire*

ensemble une grande partie de pêche. Ce _____ l'été.   *être*

Nous _____ heureux...   *être*

5   Composez un texte sur le modèle de l'exercice 4 pour décrire vos vacances idéales.

_____

_____

_____

Les verbes *POUVOIR, VOULOIR, DEVOIR, FALLOIR* et *SAVOIR*

• Le conditionnel présent de ces verbes se forme avec le **radical** qui est **irrégulier** auquel on ajoute les terminaisons : *-ais*, *-ais*, *-ait*, *-ions*, *-iez*, *-aient*.

◼ **POUVOIR**

je	pourrais
tu	pourrais
il/elle	pourrait
nous	pourrions
vous	pourriez
ils/elles	pourraient

◼ **VOULOIR**

je	voudrais
tu	voudrais
il/elle	voudrait
nous	voudrions
vous	voudriez
ils/elles	voudraient

◼ **DEVOIR**

je	devrais
tu	devrais
il/elle	devrait
nous	devrions
vous	devriez
ils/elles	devraient

◼ **FALLOIR**

il	faudrait

⚠ **Falloir** ne se conjugue qu'à la 3ᵉ personne du singulier.

◼ **SAVOIR**

je	saurais
tu	saurais
il/elle	saurait
nous	saurions
vous	sauriez
ils/elles	sauraient

⚠ Ne confondez pas :
nous aurions et **nous saurions** – **vous auriez** et **vous sauriez** –
    [z̆]   [s]   [z̆]   [s]
nous serions et **nous saurions** – **vous seriez** et **vous sauriez**.
    [səʀiɔ̃]   [soʀiɔ̃]   [səʀie]   [soʀie]

1 Transformez les futurs simples en conditionnels présents.

1. Je pourrai vous aider.   – Elle a dit qu'elle _____

2. Nous devrons attendre.   – Ils ont dit que nous _____

3. Ils sauront comment faire.   – Il a dit que vous _____

4. Elle ne voudra pas s'en occuper. – J'ai dit qu'elle _____

5. Il faudra leur écrire.   – Il a dit qu'il _____

2 À partir des situations proposées, faites des phrases avec « pouvoir », « vouloir », « falloir » et « savoir » au conditionnel pour faire une demande polie.

1. Vous êtes dans un restaurant, vous demandez la carte.

_____

2. Vous êtes au secrétariat de l'université, vous voulez connaître la date de l'examen.

_____

3. Vous êtes à la gare, vous voulez savoir s'il y a des trains pour Nice dans la soirée.

_____

4. Vous êtes dans la rue, vous demandez votre chemin.

_____

5. Vous avez besoin d'argent rapidement ; vous en demandez à votre meilleur ami.

_____

3 Utilisez « pouvoir », « vouloir », « devoir » et « falloir » au conditionnel pour exprimer un conseil, un reproche, une obligation, une prévision, une proposition.

1. *Conseil* – À mon avis, tu _____ aller dormir et te réveiller tôt demain matin pour travailler.

2. *Proposition* – _____ -vous aller voir cette pièce de Beckett avec moi ?

3. *Prévision* – Son avion _____ arriver à 20 h 30.

4. *Obligation* – Nos partenaires sont prêts à nous rencontrer à la fin du mois. Il _____ préparer le dossier rapidement.

5. *Reproche* – Vous _____ faire attention, vous avez abîmé ma voiture.

4 Vous écrivez à une agence pour lui demander des informations sur une maison à louer : vous posez des questions sur le mois de location, la proximité de la plage, le prix, le confort, etc.

_____

_____

_____

_____

_____

Les verbes en *-ER*

• Le conditionnel présent se forme avec l'**infinitif** auquel on ajoute les terminaisons : ***-ais, -ais, -ait, -ions, -iez, -aient***.

CONDITIONNELS RÉGULIERS

■ PARLER

je	parlerais
tu	parlerais
il/elle	parlerait
nous	parlerions
vous	parleriez
ils/elles	parleraient

■ SE DÉPÊCHER

je	me	dépêcherais
tu	te	dépêcherais
il/elle	se	dépêcherait
nous	nous	dépêcherions
vous	vous	dépêcheriez
ils/elles	se	dépêcheraient

Et :
oublier : *j'oublierais*
continuer : *je continuerais*
jouer : *je jouerais*
créer : *je créerais*
gagner : *je gagnerais*

travailler : *je travaillerais*
commencer : *je commencerais*
manger : *je mangerais*
espérer : *j'espérerais*

CONDITIONNELS IRRÉGULIERS

■ APPELER

j'	appellerais
tu	appellerais
il/elle	appellerait
nous	appellerions
vous	appelleriez
ils/elles	appelleraient

■ JETER

je	jetterais
tu	jetterais
il/elle	jetterait
nous	jetterions
vous	jetteriez
ils/elles	jetteraient

■ S'ENNUYER

je	m'ennuierais
tu	t'ennuierais
il/elle	s'ennuierait
nous	nous ennuierions
vous	vous ennuieriez
ils/elles	s'ennuieraient

⚠ Le « e » après « ll », « tt » et « i » ne se prononce pas.

Et : employer : *j'emploierais*

■ PAYER

je	paierais
tu	paierais
il/elle	paierait
nous	paierions
vous	paieriez
ils/elles	paieraient

⚠ Les verbes en ***-ayer*** peuvent avoir un conditionnel présent régulier : *je payerais, nous essayerions…*

■ ENVOYER

j'	enverrais
tu	enverrais
il/elle	enverrait
nous	enverrions
vous	enverriez
ils/elles	enverraient

1 Conjuguez au conditionnel présent.

1. *aimer* nous _____, il _____
2. *se préparer* je _____ vous _____
3. *changer* tu _____, elles _____
4. *louer* je _____, vous _____
5. *étudier* elle _____, ils _____
6. *essayer* nous _____, je _____
7. *employer* ils _____, tu _____
8. *rappeler* je _____, nous _____

2 Complétez librement avec les verbes proposés au conditionnel présent.

1. Si j'étais ministre de l'Environnement, _____ (*protéger*).
2. Si tu étais à ma place, _____ (*essayer*).
3. Si vous n'étiez pas à la maison à 18 heures, _____ (*appeler*).
4. S'il me restait 24 heures à vivre, _____ (*se dépêcher*).
5. Si nous étions des extraterrestres, _____ (*voyager*).
6. Si j'étais comédienne, _____ (*interpréter*).
7. Si elle était un homme, _____ (*porter*).
8. S'il était une femme, _____ (*aimer*).

3 Utilisez le conditionnel présent selon le modèle pour donner une information non vérifiée.

On pense que le Premier ministre démissionnera avant la fin du mois.

→ *Le Premier ministre démissionnerait avant la fin du mois.*

1. On dit que le directeur général va donner une réception pour le personnel.

_____

2. On pense que les syndicats appelleront les grévistes à reprendre le travail avant la fin de la semaine.

_____

3. D'après ses amis, ses parents vont l'envoyer à l'étranger pour étudier.

_____

4. Grâce à la nouvelle loi, on pense qu'on créera beaucoup d'emplois pour les jeunes.

_____

5. On dit que l'Assemblée nationale rejettera le projet du gouvernement.

_____

4 Utilisez des verbes en « -er » au conditionnel présent pour décrire votre mode de vie idéal : pays, logement, manière de vivre, profession, etc.

J'habiterais _____

_____

_____

⚠ Notez l'apparition de l'accent grave.

▩ ACHETER

j'	achèterais
tu	achèterais
il/elle	achèterait
nous	achèterions
vous	achèteriez
ils/elles	achèteraient

▩ SE PROMENER

je	me	promènerais
tu	te	promènerais
il/elle	se	promènerait
nous	nous	promènerions
vous	vous	promèneriez
ils/elles	se	promèneraient

Et :
mener : *je mènerais*
amener : *j'amènerais*
emmener : *j'emmènerais*

▩ CONGELER

je	congèlerais
tu	congèlerais
il/elle	congèlerait
nous	congèlerions
vous	congèleriez
ils/elles	congèleraient

Et :
modeler : *je modèlerais*
harceler : *je harcèlerais*
peler : *je pèlerais*

▩ SE LEVER

je	me lèverais
tu	te lèverais
il/elle	se lèverait
nous	nous lèverions
vous	vous lèveriez
ils/elles	se lèveraient

Et :
enlever : *j'enlèverais*
soulever : *je soulèverais*
achever : *j'achèverais*

▩ PESER

je	pèserais
tu	pèserais
il/elle	pèserait
nous	pèserions
vous	pèseriez
ils/elles	pèseraient

▩ SEMER

je	sèmerais
tu	sèmerais
il/elle	sèmerait
nous	sèmerions
vous	sèmeriez
ils/elles	sèmeraient

1   **Mettez les accents comme il convient.**

1. Je racheterais leur maison.

2. Vous semeriez des plants.

3. Elle pelerait les oranges.

4. Tu souleverais leur fureur.

5. Tu emmenerais le bébé.

6. Elle amenerait un ami.

7. Nous nous leverions tôt.

8. Vous acheveriez votre projet.

9. Tu décongelerais du pain.

10. J'enleverais la nappe.

2   **Transformez les phrases au conditionnel présent.**

Elle dit :

1. qu'elle pèsera le pour et le contre.

2. qu'ils mèneront une vie calme.

3. que vous soulèverez la question en temps voulu.

4. que tu amèneras des amis avec toi.

Elle a dit :

qu'elle _____

qu'ils _____

que vous _____

que tu _____

3   **Transformez les infinitifs en conditionnels présents.**

Promettre :

1. de se lever tôt

2. d'enlever la poussière

3. d'emmener le petit frère au cinéma

4. de ramener les jeunes de l'école

5. d'acheter du pain avant de rentrer

Ils ont promis à leur mère :

qu'ils _____

que Sophie _____

que Manon _____

qu'ils _____

que Marc _____

4   **Complétez avec les verbes au conditionnel présent.**

1. S'il vendait sa maison de campagne, je _____ .   *(acheter)*

2. Si les vols continuaient, nous _____ la police jusqu'ici.   *(amener)*

3. Si les salaires n'augmentaient pas, cela _____ la colère des ouvriers.   *(soulever)*

4. Si cet essai échouait, ils _____ leur expérience.   *(achever)*

5. Si vous ne rentriez pas ce soir, cela _____ le doute.   *(semer)*

5   **Exprimez des désirs selon le modèle.**

J'ai envie d'acheter un nouveau canapé. → *J'achèterais bien un nouveau canapé.*

1. Elle a envie d'enlever ces vieux rideaux. _____ .

2. Nous avons envie de nous lever tard demain. _____ .

3. Ils ont envie de promener les chiens dans le bois. _____ .

4. J'ai envie d'emmener Paul au théâtre. _____ .

5. Il a envie de semer des graines à cet endroit. _____ .

Les verbes en -*IR*

CONDITIONNELS RÉGULIERS

• Le conditionnel présent de ces verbes se forme avec l'**infinitif** auquel on ajoute les terminaisons : **-ais, -ais, -ait, -ions, -iez, -aient**.

■ FINIR

je	finirais
tu	finirais
il/elle	finirait
nous	finirions
vous	finiriez
ils/elles	finiraient

Et :
partir : *je partirais*
réussir : *je réussirais*
choisir : *je choisirais*
haïr : *je haïrais*
fuir : *je fuirais*

■ OUVRIR

j'	ouvrirais
tu	ouvrirais
il/elle	ouvrirait
nous	ouvririons
vous	ouvririez
ils/elles	ouvriraient

Et :
dormir : *je dormirais*
offrir : *j'offrirais*
couvrir : *je couvrirais*
découvrir : *je découvrirais*
souffrir : *je souffrirais*

■ (SE) SERVIR

je	(me) servirais
tu	(te) servirais
il/elle	(se) servirait
nous	(nous) servirions
vous	(vous) serviriez
ils/elles	(se) serviraient

Et :
s'enrichir : *je m'enrichirais*
s'évanouir : *je m'évanouirais*

CONDITIONNELS IRRÉGULIERS

■ COURIR

je	cou**rr**ais
tu	cou**rr**ais
il/elle	cou**rr**ait
nous	cou**rr**ions
vous	cou**rr**iez
ils/elles	cou**rr**aient

Et :
mourir : *je mourrais*
acquérir : *j'acquerrais*

■ CUEILLIR

je	cueill**er**ais
tu	cueill**er**ais
il/elle	cueill**er**ait
nous	cueill**er**ions
vous	cueill**er**iez
ils/elles	cueill**er**aient

■ SE SOUVENIR

je	me souv**iendr**ais
tu	te souv**iendr**ais
il/elle	se souv**iendr**ait
nous	nous souv**iendr**ions
vous	vous souv**iendr**iez
ils/elles	se souv**iendr**aient

Et :
tenir : *je tiendrais*

♪ Pour distinguer le conditionnel présent de l'**imparfait** de l'indicatif aux 2 premières personnes des verbes de type **courir** ou **mourir**, on insiste légèrement sur la prononciation des deux « **r** » :
Nous courions vite quand nous étions jeunes !
Si nous étions encore jeunes, nous courrions plus vite !

1 Répondez au conditionnel présent selon le modèle.

Tu crois...   *Oui, on m'a dit...*

1. qu'elle ouvrira une librairie ?   *qu'elle ouvrirait une librairie.*

2. qu'il lui offrira un diamant ?   _____

3. qu'ils se serviront de leurs relations ?   _____

4. qu'on sortira à l'heure ?   _____

5. que nous accueillerons la délégation ?   _____

6. que je tiendrai le stand ?   _____

2 Complétez au conditionnel présent et reliez les éléments.

se souvenir - acquérir - ouvrir - s'endormir

1. Avec un agenda électronique   **a.** ils _____ des connaissances utiles.

2. Avec un stage en entreprise   **b.** vous _____ sans difficulté.

3. Avec un bon tire-bouchon   **c.** tu _____ de tes rendez-vous.

4. Avec une bonne tisane   **d.** nous _____ cette bouteille en 1 minute.

3 Complétez au conditionnel présent ce rêve d'enfant.

– Si je partais sur une île déserte, tu _____ avec moi ?   *venir*

Nous _____ à la belle étoile. On _____ de faim   *dormir – ne pas mourir*

parce qu'on _____ des fruits. Je _____ des outils   *cueillir – fabriquer*

dont on _____ pour aller à la pêche ou à la chasse.   *se servir*

– Moi j'_____ peur... Quand des bêtes sauvages _____   *avoir – venir*

trop près de nous, je _____ à toute vitesse, je _____ !   *courir – s'enfuir*

– Mais non ! Petit à petit tu _____, tu _____ moins   *s'habituer – devenir*

peureuse et tu _____ toutes les merveilles de la nature...   *découvrir*

– Oui, mais on _____ par s'ennuyer et on _____   *finir – se sentir*

seuls, sans personne à qui parler...

4 Finissez les phrases librement avec les verbes de votre choix conjugués au conditionnel présent.

dormir – se souvenir – maigrir – courir – partir – sortir – souffrir – s'évanouir – s'enfuir – prévenir – se sentir – etc.

1. Si je la voyais aujourd'hui, je _____ .

2. Si tu faisais un peu d'exercice, tu _____ .

3. Si vous aviez plus de temps libre, vous _____ ?

4. Si elle apprenait la nouvelle, elle _____ .

Les verbes en -*RE*

- Le conditionnel présent de ces verbes se forme avec le **radical** auquel on ajoute les terminaisons : *-ais, -ais, -ait, -ions, -iez, -aient*.
- Pour obtenir le **radical**, il faut supprimer le « **e** » final de l'infinitif.
  Exemple : dir-e → **dir** → je **dirais**.

■ PRENDRE

je	prendrais
tu	prendrais
il/elle	prendrait
nous	prendrions
vous	prendriez
ils/elles	prendraient

Et :
attendre : *j'attendrais*
répondre : *je répondrais*
conduire : *je conduirais*
lire : *je lirais*

■ DIRE

je	dirais
tu	dirais
il/elle	dirait
nous	dirions
vous	diriez
ils	diraient

écrire : *j'écrirais*
rire : *je rirais*
(se) perdre : *je (me) perdrais*
peindre : *je peindrais*

■ (S')INSCRIRE

je	(m')inscrirais
tu	(t')inscrirais
il/elle	(s')inscrirait
nous	(nous)inscririons
vous	(vous)inscririez
ils/elles	(s')inscriraient

(se) plaindre : *je (me) plaindrais*
rejoindre : *je rejoindrais*
résoudre : *je résoudrais*
coudre : *je coudrais*

■ CROIRE

je	croirais
tu	croirais
il/elle	croirait
nous	croirions
vous	croiriez
lls/elles	croiraient

Et :
boire : *je boirais*
(se) distraire : *je (me) distrairais*
connaître : *je connaîtrais*
(se) battre : *je (me) battrais*

■ METTRE

je	mettrais
tu	mettrais
il/elle	mettrait
nous	mettrions
vous	mettriez
ils/elles	mettraient

naître : *je naîtrais*
croître : *je croîtrais*
suivre : *je suivrais*
vivre : *je vivrais*

■ (SE) TAIRE

je	(me) tairais
tu	(te) tairais
il/elle	(se) tairait
nous	(nous) tairions
vous	(vous) tairiez
ils/elles	(se) tairaient

conclure : *je conclurais*
interrompre : *j'interromprais*
convaincre : *je convaincrais*
plaire : *je plairais*

1   **Transformez les futurs en conditionnels présents selon le modèle.**

J'attendrai devant l'entrée du magasin.   →   Tu as bien dit que tu *attendrais devant l'entrée* ?

1. Nous repeindrons tout le studio en blanc.   Vous avez bien dit que vous _____ ?

2. Il répondra à toutes les questions.   Il a bien dit qu'il _____ ?

3. Nous nous inscrirons sans tarder.   Elles ont bien dit qu'elles _____ ?

4. On prendra le TGV un lundi.   Vous avez bien dit qu'on _____ ?

5. Nous descendrons à Valence.   Tu as bien dit que nous _____ ?

2   **Réécrivez le texte au conditionnel présent selon le modèle.**

Une mère parle à son enfant :

Un enfant sage...   *Si tu étais sage,...*

1. met une écharpe quand il fait froid.   *tu* _____

2. écrit de temps en temps à sa grand-mère.   _____

3. répond poliment quand on lui parle.   _____

4. éteint les lumières quand il quitte une pièce   _____

5. boit du lait pour les vitamines.   _____

6. se tait quand le professeur parle.   _____

7. ne se bat pas avec ses camarades.   _____

8. apprend ses leçons.   _____

9. connaît ses tables de multiplication.   _____

10. lit au lieu de regarder la télévision.   _____

3   **Finissez les phrases au conditionnel présent.**

1. *reconnaître*   Si on le rencontrait dans la rue, on le _____ .

2. *coudre*   Si vous n'aviez pas de machine à coudre, vous _____ ?

3. *ne pas suivre*   Si nous lui donnions des conseils, il _____ .

4. *se plaindre*   S'ils n'obtenaient pas de réponse, ils _____ .

5. *surprendre*   Si elle m'annonçait qu'elle se marie, cela me _____ .

6. *convaincre*   S'il hésitait, nous le _____ .

4   **Complétez avec le verbe conjugué qui convient au conditionnel présent et trouvez l'expression équivalente.**

dire – se croire – plaire – résoudre

1. Cela te _____ d'y aller ?   **a.** On a l'impression...

2. On _____ en hiver !   **b.** Je n'aimerais pas...

3. Ça ne me _____ rien du tout !   **c.** Cela serait une solution.

4. Cela _____ le problème !   **d.** Tu aimerais... ?

Les verbes en *-OIR*

- Les verbes en **-oir**, sauf exceptions (voir ci-dessous), ont un conditionnel **irrégulier**.

■ PLEUVOIR : il pleuvrait

■ VOIR

je	ve**rr**ais
tu	ve**rr**ais
il/elle	ve**rr**ait
nous	ve**rr**ions
vous	ve**rr**iez
ils/elles	ve**rr**aient

■ S'ASSEOIR (2 conjugaisons possibles)

je	m'ass**oi**rais	je	m'ass**ié**rais
tu	t'ass**oi**rais	tu	t'ass**ié**rais
il/elle	s'ass**oi**rait	il/elle	s'ass**ié**rait
nous	nous ass**oi**rions	nous	nous ass**ié**rions
vous	vous ass**oi**riez	vous	vous ass**ié**riez
ils/elles	s'ass**oi**raient	ils/elles	s'ass**ié**raient

⚠ Les verbes **prévoir** et **pourvoir** ont un conditionnel **régulier** formé sur l'infinitif : *je prévoirais – je pourvoirais*.

■ VALOIR

je	**vau**drais
tu	**vau**drais
il/elle	**vau**drait
nous	**vau**drions
vous	**vau**driez
ils/elles	**vau**draient

■ RECEVOIR

je	rece**vr**ais
tu	rece**vr**ais
il/elle	rece**vr**ait
nous	rece**vr**ions
vous	rece**vr**iez
ils/elles	rece**vr**aient

■ (S')APERCEVOIR

je	(m') aperce**vr**ais
tu	(t') aperce**vr**ais
il/elle	(s') aperce**vr**ait
nous	(nous) aperce**vr**ions
vous	(vous) aperce**vr**iez
ils/elles	(s') aperce**vr**aient

Et :
(s')émouvoir : *je (m')émouvrais*

E X E R C I C E S

1 **Conjuguez au futur simple puis au conditionnel présent selon le modèle.**

revoir : Si vous venez à cette soirée, vous reverrez Anne-Marie.

Si vous veniez à cette soirée, vous reverriez Anne-Marie.

1. *voir*   Si tu vas à cette exposition, tu _____ des Renoir.

Si tu allais à cette exposition, tu _____ des Renoir.

2. *s'apercevoir*   Si vous lisez bien ce texte, vous _____ que c'est un chef-d'œuvre.

Si vous lisiez bien ce texte, vous _____ que c'est un chef-d'œuvre.

3. *s'asseoir*   S'ils arrivent pour le dessert, ils _____ au bout de la table.

S'ils arrivaient pour le dessert, ils _____ au bout de la table.

4. *valoir*   Si elle est de mauvaise humeur, il _____ mieux ne pas lui parler.

Si elle était de mauvaise humeur, il _____ mieux ne pas lui parler.

2 **Finissez les phrases au conditionnel présent avec le verbe qui convient.**

recevoir – s'asseoir – pleuvoir – apercevoir

1. On a prévu un buffet à l'intérieur au cas où _____ .

2. Je te signale que cette chaise est cassée au cas où _____ .

3. Rappelez-nous au cas où _____ .

4. Fais-moi signe au cas où _____ .

3 **Décrivez ce projet au conditionnel présent.**

Un anniversaire surprise

Sylvie et Gérard peuvent contacter les vieux amis de Sébastien. On se voit avant pour régler les détails. Il vaut mieux commander le dîner chez le traiteur. On prévoit un repas pour 30 personnes par exemple. Le jour J vous venez chez moi. Pendant ce temps, je l'emmène se promener et nous rentrons vers 7 heures. Quand vous entendez l'ascenseur, vous éteignez les lumières et vous vous asseyez autour de la table. Quand nous entrons dans l'appartement, il ne s'aperçoit de rien. Et là, tout le monde se met à chanter et allume des bougies ! Imaginez sa surprise quand il nous voit !... et tous les cadeaux qu'il reçoit !

Sylvie et Gérard pourraient contacter _____

_____

_____

_____

_____

4 **Quelle serait votre réaction si on organisait une soirée surprise pour votre anniversaire ?**

_____

LE CONDITIONNEL PASSÉ

- Le conditionnel passé se forme avec **avoir** ou **être** au **conditionnel présent** auquel on ajoute le **participe passé** du verbe à conjuguer.
- Le choix de l'auxiliaire et les règles de l'accord du participe passé sont les mêmes que pour le passé composé (voir pp. 60, 74 et 78).

Les verbes *ÊTRE*, *AVOIR*, *FAIRE*, *ALLER*, *VENIR* et les verbes en *-ER*

▪ ÊTRE

j'	aurais	été
tu	aurais	été
il/elle	aurait	été
nous	aurions	été
vous	auriez	été
ils/elles	auraient	été

▪ AVOIR

j'	aurais	eu
tu	aurais	eu
il/elle	aurait	eu
nous	aurions	eu
vous	auriez	eu
ils/elles	auraient	eu

▪ FAIRE

j'	aurais	fait
tu	aurais	fait
il/elle	aurait	fait
nous	aurions	fait
vous	auriez	fait
ils/elles	auraient	fait

▪ ALLER

je	serais	allé(e)
tu	serais	allé(e)
il/elle	serait	allé(e)
nous	serions	allé(e)s
vous	seriez	allé(e)(s)
ils/elles	seraient	allé(e)s

Et :
s'en aller :
je m'en serais allé(e)

▪ VENIR

je	serais	venu(e)
tu	serais	venu(e)
il/elle	serait	venu(e)
nous	serions	venu(e)s
vous	seriez	venu(e)(s)
ils/elles	seraient	venu(e)s

▪ PARLER

j'	aurais	parlé
tu	aurais	parlé
il/elle	aurait	parlé
nous	aurions	parlé
vous	auriez	parlé
ils/elles	auraient	parlé

▪ SE DÉPÊCHER

je	me serais	dépêché(e)
tu	te serais	dépêché(e)
il/elle	se serait	dépêché(e)
nous	nous serions	dépêché(e)s
vous	vous seriez	dépêché(e)(s)
ils/elles	se seraient	dépêché(e)s

Et :
oublier : *j'aurais oublié*
continuer : *j'aurais continué*
jouer : *j'aurais joué*
créer : *j'aurais créé*
appeler : *j'aurais appelé*

jeter : *j'aurais jeté*
payer : *j'aurais payé*
acheter : *j'aurais acheté*
espérer : *j'aurais espéré*

Et :
se promener : *je me serais promené(e)*
s'ennuyer : *je me serais ennuyé(e)*

1   Transformez les passés composés en conditionnels passés.

1. J'ai été content. _____
2. Il a eu vingt ans. _____
3. Il a fait chaud. _____
4. Nous y sommes allés en groupe. _____
5. Tu es venue seule. _____
6. Elle s'est amusée. _____

2   Complétez les phrases librement en mettant les verbes proposés au conditionnel passé.

1. S'ils avaient eu leurs enfants avec eux, _____ . (*être*)
2. S'il avait mieux travaillé, _____ . (*avoir*)
3. Si tu avais apporté tes chaussures de marche, _____ . (*faire*)
4. Si j'avais eu de l'argent, _____ . (*aller*)
5. Si vous m'aviez invité, _____ . (*venir*)
6. Si nous avions raté le dernier métro, _____ . (*rentrer*)
7. Si vous nous l'aviez demandé, _____ . (*rester*)
8. S'il ne lui avait pas tendu la main, _____ . (*tomber*)

3   Mettez les verbes proposés au conditionnel passé puis reliez les éléments.

1. Avec un peu plus de technique, ils
2. Sans une bourse du ministère, elle
3. Sans l'énergie du metteur en scène, nous
4. Sans son coup de téléphone, je
5. En cas de crise grave, tu
6. En cas de problème, vous

a. _____ ses études. (*ne pas continuer*)
b. _____ le rendez-vous. (*oublier*)
c. _____ le match. (*gagner*)
d. _____ la pièce à la date prévue. (*ne pas jouer*)
e. _____ de nous joindre ? (*essayer*)
f. _____ le médecin en urgence. (*appeler*)

4   Utilisez les verbes et les expressions proposés pour dire ce qui a bien pu se passer.
Exprimez ces suppositions en utilisant le conditionnel passé.

A. Ils n'ont pas répondu à notre lettre. Pourquoi ?

1. Est-ce qu'*ils ne l'auraient pas eue ?*
2. Est-ce que _____ ?   (*nous trouver impolis*)
3. Est-ce que _____ par notre refus ?   (*être vexés*)
4. Est-ce que _____ notre lettre ?   (*mal interpréter*)

B. Il est minuit trente. Ils auraient dû arriver à 22 heures !

1. _____ des difficultés ?   (*rencontrer*)
2. _____ en route pour se reposer ? (*s'arrêter*)
3. _____ en notre absence ?   (*appeler*)
4. _____ à nous prévenir ?   (*ne pas arriver*)

Les verbes en -*IR*

- Le conditionnel passé se forme avec **avoir** ou **être** au **conditionnel présent** auquel on ajoute le **participe passé** du verbe à conjuguer.
- Le choix de l'auxiliaire et les règles de l'accord du participe passé sont les mêmes que pour le passé composé (voir pp. 60, 74 et 78).

■ FINIR

j'	aurais	fini
tu	aurais	fini
il/elle	aurait	fini
nous	aurions	fini
vous	auriez	fini
ils/elles	auraient	fini

Et:
haïr : *j'aurais haï*

■ SE SOUVENIR

je	me serais	souvenu(e)
tu	te serais	souvenu(e)
il/elle	se serait	souvenu(e)
nous	nous serions	souvenu(e)s
vous	vous seriez	souvenu(e)(s)
ils/elles	se seraient	souvenu(e)s

■ DORMIR

j'	aurais	dormi
tu	aurais	dormi
il/elle	aurait	dormi
nous	aurions	dormi
vous	auriez	dormi
ils/elles	auraient	dormi

Et:
cueillir : *j'aurais cueilli*
fuir : *j'aurais fui*
courir : *j'aurais couru*
tenir : *j'aurais tenu*
acquérir : *j'aurais acquis*

■ OUVRIR

j'	aurais	ouvert
tu	aurais	ouvert
il/elle	aurait	ouvert
nous	aurions	ouvert
vous	auriez	ouvert
ils/elles	auraient	ouvert

Et:
offrir : *j'aurais offert*
couvrir : *j'aurais couvert*
découvrir : *j'aurais découvert*
souffrir : *j'aurais souffert*

■ PARTIR

je	serais	parti(e)
tu	serais	parti(e)
il/elle	serait	parti(e)
nous	serions	parti(e)s
vous	seriez	parti(e)(s)
ils/elles	seraient	parti(e)s

Et:
sortir : *je serais sorti(e)*
se servir : *je me serais servi(e)*
s'enfuir : *je me serais enfui(e)*
devenir : *je serais devenu(e)*
mourir : *je serais mort(e)*

E X E R C I C E S

1 Conjuguez au conditionnel passé.

1. *découvrir* Nous _____
2. *recueillir* Je _____
3. *réagir* Elle _____
4. *grandir* Tu _____
5. *mourir* Il _____
6. *s'endormir* Ils _____

2 Complétez librement en mettant les verbes proposés au conditionnel passé.

1. Si tu m'avais demandé mon avis, _____ . (*choisir*)
2. Si nous avions su qu'elles arrivaient seules, _____ . (*accueillir*)
3. Si vous aviez lavé ce pull à l'eau froide, _____ . (*ne pas rétrécir*)
4. S'il lui avait demandé de rester, _____ . (*ne pas partir*)
5. Si les secours étaient arrivés plus tôt, _____ . (*ne pas mourir*)
6. Si tu ne l'avais pas insultée, _____ . (*ne pas s'enfuir*)
7. Si je n'avais pas été réveillé par le téléphone, _____ . (*dormir*)
8. Si elle vous l'avait dit, _____ . (*se souvenir*)

3 Complétez les phrases librement en choisissant un verbe de la liste et en le conjuguant au conditionnel passé.

1. Si j'avais su, _____ .   *fuir – se souvenir*
2. Si nous avions pu, _____ .   *venir – réfléchir*
3. S'ils avaient voulu, _____ .   *mentir – sortir*
4. S'il avait fallu, _____ .   *servir – démentir*
5. Si cela en avait valu la peine, _____ .   *parcourir – offrir*
6. Si vous nous aviez prévenus, _____ .

4 Mettez les verbes proposés au conditionnel passé pour exprimer des regrets.

1. Sans cet incident qui a gâché notre vie, nous _____ (*réussir*) notre vie professionnelle et sentimentale, nous _____ (*acquérir*) de la notoriété, nous _____ (*cueillir*) les fruits de notre travail, nous _____ (*être couvert*) d'honneurs et aujourd'hui nous serions heureux !

2. Avec un peu plus de persévérance, j'_____ (*finir*) ma thèse, je _____ (*devenir*) professeur d'université, d'autres possibilités _____ (*s'offrir*) à moi et peut-être que je _____ (*partir*) en poste à l'étranger : quel dommage !

5 Formulez des regrets comme dans l'exercice 4 en utilisant le conditionnel passé.

_____

_____

Les verbes en *-RE*

- Le conditionnel passé se forme avec **avoir** ou **être** au **conditionnel présent** auquel on ajoute le **participe passé** du verbe à conjuguer.
- Le choix de l'auxiliaire et les règles de l'accord du participe passé sont les mêmes que pour le passé composé (voir pp. 60, 74 et 78).

■ DIRE

j'	aurais	dit
tu	aurais	dit
il/elle	aurait	dit
nous	aurions	dit
vous	auriez	dit
ils/elles	auraient	dit

Et :
conduire : *j'aurais conduit*
écrire : *j'aurais écrit*
distraire : *j'aurais distrait*
rire : *j'aurais ri*

■ CROIRE

j'	aurais	cru
tu	aurais	cru
il/elle	aurait	cru
nous	aurions	cru
vous	auriez	cru
ils/elles	auraient	cru

Et :
boire : *j'aurais bu*
plaire : *j'aurais plu*
lire : *j'aurais lu*

■ S'INSCRIRE

je	me serais	inscrit(e)
tu	te serais	inscrit(e)
il/elle	se serait	inscrit(e)
nous	nous serions	inscrit(e)s
vous	vous seriez	inscrit(e)(s)
ils/elles	se seraient	inscrit(e)s

Et :
se distraire : *je me serais distrait(e)*
se taire : *je me serais tu(e)*
se perdre : *je me serais perdu(e)*
se battre : *je me serais battu(e)*
se plaindre : *je me serais plaint(e)*

■ ATTENDRE

j'	aurais	attendu
tu	aurais	attendu
il/elle	aurait	attendu
nous	aurions	attendu
vous	auriez	attendu
ils/elles	auraient	attendu

Et :
répondre : *j'aurais répondu*
perdre : *j'aurais perdu*
coudre : *j'aurais cousu*
résoudre : *j'aurais résolu*
peindre : *j'aurais peint*
rejoindre : *j'aurais rejoint*
connaître : *j'aurais connu*
battre : *j'aurais battu*
croître : *j'aurais crû*
vivre : *j'aurais vécu*
conclure : *j'aurais conclu*
interrompre : *j'aurais interrompu*
convaincre : *j'aurais convaincu*

■ METTRE

j'	aurais	mis
tu	aurais	mis
il/elle	aurait	mis
nous	aurions	mis
vous	auriez	mis
ils/elles	auraient	mis

Et :
prendre : *j'aurais pris*
suivre : *j'aurais suivi*

■ NAÎTRE

je	serais	né(e)
tu	serais	né(e)
il/elle	serait	né(e)
nous	serions	né(e)s
vous	seriez	né(e)(s)
ils/elles	seraient	né(e)s

Et :
descendre : *je serais descendu(e)*

1   Mettez ces informations au conditionnel passé pour exprimer une incertitude.

1. La BFL a entrepris une restructuration. _____

2. Une croissance économique aura lieu en 2010. _____

3. L'actrice Gina Lolla a disparu de son domicile. _____

4. Une explosion s'est produite dans les locaux du MSV. _____

5. L'année dernière le taux de chômage a atteint 12 %. _____

6. Deux navigateurs se sont perdus dans le Pacifique. _____

7. La police a poursuivi deux malfaiteurs sur l'autoroute. _____

2   Conjuguez au passé composé, puis au conditionnel passé selon le modèle.

Prendre   J'ai pris le train mais si j'avais su je *n'aurais pas pris le train*.

1. *attendre*   Nous _____ mais si nous avions su nous _____ .

2. *traduire*   Il _____ le texte, mais s'il avait su il _____ .

3. *répondre*   Tu _____ mais si tu avais su tu _____ ?

4. *boire*   Ils _____ du whisky, mais s'ils avaient su ils _____ .

3   Complétez avec les verbes proposés au conditionnel passé.

1. Avec elle,

2. Si c'était vrai,

3. Faire un tel scandale !

4. Avec son uniforme,

5. Aller à l'opéra ?

a. *reconnaître :* vous ne l' _____ !

b. *croire :* Nous n' _____ cela de lui !

c. *plaire :* Cela m'_____ !

d. *se permettre :* Je _____ une remarque !

e. *entendre :* on en _____ parler !

4   Finissez les phrases au conditionnel passé avec le verbe qui convient.

descendre – comprendre – mettre – convaincre – s'inscrire – rire

1. Si on lui avait dit que c'était une soirée très habillée, elle _____ .

2. Si nous avions découvert ce cours de théâtre avant, nous _____ .

3. S'ils avaient su que le train ne s'arrêtait pas à cette gare, ils _____ .

4. Si tu avais vu cette scène, tu _____ .

5. S'il s'était exprimé plus clairement, je _____ .

6. Si vous aviez trouvé de bons arguments, vous _____ .

5   Si vous n'aviez pas appris le français, cela aurait-il changé votre vie ? Quelles expériences n'auriez-vous pas vécues ? Racontez.

Si je n'avais pas appris le français, _____

_____

Les verbes en *-OIR*

• Le conditionnel passé se forme avec **avoir** ou **être** au **conditionnel présent** auquel on ajoute le **participe passé** du verbe à conjuguer.

• Le choix de l'auxiliaire et les règles de l'accord du participe passé sont les mêmes que pour le passé composé (voir pp. 60, 74 et 78).

◾ POUVOIR

j'	aurais	pu
tu	aurais	pu
il/elle	aurait	pu
nous	aurions	pu
vous	auriez	pu
ils/elles	auraient	pu

Et :
devoir : *j'aurais dû*
savoir : *j'aurais su*
valoir : *j'aurais valu*

◾ VOULOIR

j'	aurais	voulu
tu	aurais	voulu
il/elle	aurait	voulu
nous	aurions	voulu
vous	auriez	voulu
ils/elles	auraient	voulu

◾ S'ASSEOIR

je	me serais	assis(e)
tu	te serais	assis(e)
il/elle	se serait	assis(e)
nous	nous serions	assis(es)
vous	vous seriez	assis(e)(s)
ils/elles	se seraient	assis(es)

◾ FALLOIR : il aurait fallu

◾ PLEUVOIR : il aurait plu

◾ VOIR

j'	aurais	vu
tu	aurais	vu
il/elle	aurait	vu
nous	aurions	vu
vous	auriez	vu
ils/elles	auraient	vu

◾ RECEVOIR

j'	aurais	reçu
tu	aurais	reçu
il/elle	aurait	reçu
nous	aurions	reçu
vous	auriez	reçu
ils/elles	auraient	reçu

◾ S'APERCEVOIR

je	me serais	aperçu(e)
tu	te serais	aperçu(e)
il/elle	se serait	aperçu(e)
nous	nous serions	aperçu(e)s
vous	vous seriez	aperçu(e)(s)
ils/elles	se seraient	aperçu(e)s

Et :
s'émouvoir : *je me serais ému(e)*…

1   **Conjuguez au conditionnel passé.**

1. *pouvoir* – Tu _____ t'habiller mieux !   – C'est vrai, je _____ le faire.

2. *devoir* – Vous _____ y penser plus tôt !   – En effet, nous _____ .

3. *vouloir* – Ils _____ être consultés !   – Moi aussi, je _____ l'être.

4. *valoir* – Il _____ mieux _____ rester ici !   – Cela en _____ la peine.

5. *falloir* – Il _____ leur expliquer pourquoi ! – Oui, il _____ préciser.

2   **Finissez les phrases au conditionnel passé avec le verbe qui convient.**

falloir – s'apercevoir – recevoir – vouloir – se revoir

1. Si le destin l'avait voulu, nous _____ .

2. S'ils avaient gagné au Loto, ils _____ .

3. Si on t'avait volé de l'argent, tu _____ .

4. Si la voiture n'avait pas démarré, il _____ .

5. Si tes parents ne l'avaient pas forcé à être avocat, il _____ ?

3   **Exprimez des reproches ou des regrets au conditionnel passé.**

1. Vous les avez vexés.   *ne pas devoir :*   Vous _____ .

2. Tu n'as pas payé la facture.   *pouvoir :*   Tu _____ .

3. On n'a pas prévenu Alex.   *devoir :*   Nous _____ .

4. Je n'ai pas skié cette année.   *vouloir :*   J'_____ .

5. Elle a peint la pièce en bleu.   *mieux valoir :*   Il _____ .

4   **Complétez ce récit au conditionnel passé.**

Si grand-père était encore vivant, cela _____ (*valoir*) la peine de se réunir. Voir ses douze petits-enfants l'_____ (*émouvoir*) aux larmes. Il _____ (*s'asseoir*) dans son vieux fauteuil et nous tous l'_____ (*voir*) et _____ (*pouvoir*) lui parler. Avec son humour et son intelligence il n'_____ (*décevoir*) personne ! On _____ (*prévoir*) une séance de photos. Ainsi tout le monde _____ (*recevoir*) un souvenir de cette journée.

5   **Exprimez des regrets sur les événements passés de votre vie familiale ou professionnelle ou des événements d'actualité, en utilisant les verbes « pouvoir », « vouloir », « devoir » et « falloir » au conditionnel passé.**

J'aurais voulu . . . _____

_____

_____

12 LE SUBJONCTIF PRÉSENT

Les verbes *ÊTRE*, *AVOIR*, *POUVOIR*, *SAVOIR*, *FAIRE* et *FALLOIR*

■ SUBJONCTIFS IRRÉGULIERS

■ ÊTRE

que	je	sois
que	tu	sois
qu'	il/elle	soit
que	nous	soyons
que	vous	soyez
qu'	ils/elles	soient

■ AVOIR

que	j'	aie
que	tu	aies
qu'	il/elle	ait
que	nous	ayons
que	vous	ayez
qu'	ils/elles	aient

♪ **Sois**, **soit**, **soient** se prononcent de la même façon : [swa].

♪ **Aie**, **aies**, **ait**, **aient** se prononcent de la même façon : [ε].

♪ La liaison est obligatoire dans :
que nous‿ayons, que vous‿ayez, qu'ils‿aient, qu'elles‿aient.
  [z]   [z]   [z]   [z]

■ POUVOIR

que	je	puisse
que	tu	puisses
qu'	il/elle	puisse
que	nous	puissions
que	vous	puissiez
que	ils/elles	puissent

■ SAVOIR

que	je	sache
que	tu	saches
qu'	il/elle	sache
que	nous	sachions
que	vous	sachiez
qu'	ils/elles	sachent

■ FAIRE

que	je	fasse
que	tu	fasses
qu'	il/elle	fasse
que	nous	fassions
que	vous	fassiez
qu'	ils/elles	fassent

■ FALLOIR
qu' il faille

⚠ Pour les verbes **pouvoir**, **savoir** et **faire**, les terminaisons sont celles du présent du subjonctif régulier : **-e**, **-es**, **-e**, **-ions**, **-iez**, **-ent** (voir p. 162).

1 Conjuguez au subjonctif présent.

1. *être*   Il faut que je _____ à l'heure.   **5.** *savoir*   Il faudra qu'elle le _____ .

2. *avoir*   Il faut que nous _____ le temps.   **6.** *avoir*   Il faudra que je _____ sa réponse .

3. *faire*   Il faut que vous _____ le repas.   **7.** *être*   Il faudra qu'il _____ prêt .

4. *pouvoir* Il faut que tu _____ venir.   **8.** *pouvoir* Il faudra que nous _____ en parler.

2 Complétez cette carte en conjuguant « être » ou « avoir » au subjonctif présent.

Pour le Premier de l'An, tante Jeanne nous a envoyé une carte avec des vœux pour chacun de nous :

– que Daniel _____ le premier de sa classe et qu'il _____ le bac.

– que Marie _____ un amoureux gentil et qu'elle _____ épanouie.

– que maman _____ en bonne forme et qu'elle _____ moins de soucis.

– que grand-père n'_____ plus mal au dos et qu'il ne _____ plus fatigué.

– que Philippe _____ plus raisonnable et qu'il _____ de bons amis.

– que les affaires de papa _____ prospères et qu'il _____ satisfait.

– enfin, que nous _____ tous très heureux et que nous _____ le temps d'aller la voir.

3 Transformez en utilisant le subjonctif présent selon le modèle.

Soyez plus prudents ! → *Il faut que vous soyez plus prudents.*

1. Soyez persévérants ! _____

2. Aie la patience de les écouter ! _____

3. Faisons-leur confiance ! _____

4. Sachez le comprendre ! _____

5. Sois plus tolérant ! _____

6. Fais ta valise ce soir ! _____

7. Ayez toujours une pièce d'identité avec vous ! _____

8. Sachons les écouter ! _____

4 Répondez en utilisant le subjonctif présent selon le modèle.

Elle n'a qu'à être plus attentive ! C'est vrai, *qu'elle soit plus attentive !*

1. Il n'a qu'à faire attention ! C'est vrai, _____ !

2. Ils n'ont qu'à être vigilants ! C'est vrai, _____ !

3. Il n'a qu'à avoir plus d'audace ! C'est vrai, _____ !

4. Elles n'ont qu'à le refaire ! C'est vrai, _____ !

5. Elle n'a qu'à être moins nerveuse ! C'est vrai, _____ !

Les verbes *ALLER, VOULOIR, VENIR* et *DEVOIR*

SUBJONCTIFS SEMI-RÉGULIERS

- Aux deux premières personnes du pluriel (*nous* et *vous*), ces verbes ont un présent du subjonctif **régulier** qui est identique à l'imparfait de l'indicatif.
- Pour les autres personnes (*je, tu, il/elle, ils/elles*) le radical est **irrégulier**.
- Les terminaisons sont : *-e, -es, -e, -ions, -iez, -ent*.

■ ALLER

que	j'	aille
que	tu	ailles
qu'	il/elle	aille
que	nous	allions
que	vous	alliez
qu'	ils/elles	aillent

■ VOULOIR

que	je	veuille
que	tu	veuilles
qu'	il/elle	veuille
que	nous	voulions
que	vous	vouliez
qu'	ils/elles	veuillent

Et :
s'en aller : *que je m'en aille, que nous nous en allions*

SUBJONCTIFS RÉGULIERS

Ces verbes ont un subjonctif régulier :
- Les trois premières personnes du singulier et la 3ᵉ personne du pluriel (*je, tu, il/elle, ils/elles*) sont formées sur le radical de la 3ᵉ personne du pluriel du présent de l'indicatif (*ils/elles*) auquel on ajoute les terminaisons *-e, -es, -e, -ent*.
Exemple : venir → ils **vienn**-ent → que je **vienne**, que tu **viennes**, qu'il **vienne**, qu'ils **viennent**.
- Aux deux premières personnes du pluriel (*nous* et *vous*), le présent du subjonctif est identique à l'imparfait de l'indicatif.
Exemple : que nous **venions**, que vous **veniez**.

■ VENIR

que	je	vienne
que	tu	viennes
qu'	il/elle	vienne
que	nous	venions
que	vous	veniez
qu'	ils/elles	viennent

■ DEVOIR

que	je	doive
que	tu	doives
qu'il/elle		doive
que	nous	devions
que	vous	deviez
qu'	ils/elles	doivent

1 **Conjuguez au subjonctif présent.**

1. Il est possible que nous y _____ (*aller*) et que Clara _____ (*venir*) avec nous.

2. Il est peu probable que j'y _____ (*aller*) et que Marc _____ (*vouloir*) y aller seul.

3. Je ne pense pas que vous _____ (*devoir*) payer maintenant.

4. Il est peu certain qu'ils _____ (*vouloir*) prêter leur voiture.

5. Je ne crois pas que tu me _____ (*devoir*) de l'argent.

2 **Transformez en utilisant le subjonctif présent selon le modèle.**

Si seulement tu venais avec nous ! → *J'aimerais tant que tu viennes avec nous !*

1. Si seulement elles voulaient nous suivre !

_____

2. Si seulement elle voulait partir !

_____

3. Si seulement ils s'en allaient !

_____

4. Si seulement nous allions à New York !

_____

5. Si seulement tu ne lui devais pas d'argent !

_____

6. Si seulement ils venaient ce soir !

_____

7. Si seulement elle n'y allait pas !

_____

8. Si seulement elle revenait !

_____

9. Si seulement ils voulaient sortir !

_____

10. Si seulement elle ne devait pas voyager !

_____

3 **Complétez librement en conjuguant les verbes proposés au subjonctif présent.**

1. Il fait trop froid pour que _____ (*aller*).

2. Partez avant que _____ (*revenir*).

3. J'irai à condition que _____ (*venir*).

4. C'est agaçant que _____ (*vouloir*).

5. Nous sommes heureux que _____ (*devenir*).

6. Elle n'aimerait pas que _____ (*s'en aller*).

4 **Finissez les phrases avec des verbes au subjonctif présent.**

1. L'idéal, c'est que _____ .

2. Le mieux, c'est que _____ .

3. Le pire serait que _____ .

4. Son idée, c'est que _____ .

5. Leur crainte, c'est que _____ .

6. Son rêve, c'est que _____ .

Les verbes en -ER

Ces verbes ont un subjonctif **régulier** :
• Les trois premières personnes du singulier et la 3ᵉ personne du pluriel
(*je*, *tu*, *il/elle*, *ils/elles*) sont formées sur le radical de la 3ᵉ personne
du pluriel du présent de l'indicatif (*ils/elles*) auquel on ajoute les terminaisons
-e, -es, -e, -ent.
Exemple : appeler → ils **appell**-ent → que j'**appelle**, que tu **appelles**,
qu'il **appelle**, qu'ils **appellent**.
• Aux deux premières personnes du pluriel (*nous* et *vous*), le présent
du subjonctif est identique à l'imparfait de l'indicatif.
Exemple : que nous **appelions**, que vous **appeliez**.

■ PARLER

que	je	parle
que	tu	parles
qu'	il/elle	parle
que	nous	parlions
que	vous	parliez
qu'	ils/elles	parlent

Et :
oublier : *que j'oublie, que nous oubliions*
continuer : *que je continue, que nous continuions*
jouer : *que je joue, que nous jouions*
créer : *que je crée, que nous créions*
travailler : *que je travaille, que nous travaillions*
manger : *que je mange, que nous mangions*
commencer : *que je commence, que nous commencions*
payer : *que je paye/paie, que nous payions*
employer : *que j'emploie, que nous employions*
jeter : *que je jette, que nous jetions*
acheter : *que j'achète, que nous achetions*
congeler : *que je congèle, que nous congelions*
lever : *que je lève, que nous levions*
peser : *que je pèse, que nous pesions*
semer : *que je sème, que nous semions*
espérer : *que j'espère, que nous espérions*

■ SE DÉPÊCHER

que	je	me dépêche
que	tu	te dépêches
qu'	il/elle	se dépêche
que	nous	nous dépêchions
que	vous	vous dépêchiez
qu'	ils/elles	se dépêchent

⚠ Notez les 2 « i » pour les verbes en
-ier : *que nous étudiions, que vous
remerciiez...*

■ APPELER

que	j'	appelle
que	tu	appelles
qu'	il/elle	appelle
que	nous	appelions
que	vous	appeliez
qu'	ils/elles	appellent

■ SE PROMENER

que	je	me promène
que	tu	te promènes
qu'	il/elle	se promène
que	nous	nous promenions
que	vous	vous promeniez
qu'	ils/elles	se promènent

E X E R C I C E S

1 Conjuguez au présent et à l'imparfait de l'indicatif puis au subjonctif présent.

	aimer	*crier*	*acheter*
présent :	ils _____	elles _____	ils _____
imparfait :	nous _____	nous _____	nous _____
subjonctif :	que tu _____	que je _____	qu'il _____
	que vous _____	que nous _____	que vous _____

2 Transformez selon le modèle.

Il faudra tourner à gauche. Il faudra que vous *tourniez à gauche*.

1. Il faut continuer de lire jusqu'à la page 134. Il faut que vous _____.

2. Il est nécessaire d'acheter un dictionnaire. Il est nécessaire que tu _____.

3. Il est indispensable de changer les freins. Il est indispensable que vous _____.

4. Est-ce qu'il faut jeter ces vieux documents ? Est-ce qu'il faut que je _____.

5. Ce serait bien de la remercier. Ce serait bien que nous _____.

6. Il faudra emmener les enfants à l'école. Il faudra que vous _____.

7. Faut-il essayer maintenant ? Faut-il que nous _____.

8. Il est impératif de créer un nouveau programme. Il est impératif que vous _____.

9. Il est essentiel de la rappeler dès demain. Il est essentiel que tu _____.

3 Reprenez le même verbe et conjuguez-le au subjonctif présent selon le modèle.

Ils étudient très bien ; j'aimerais que tu *étudies* aussi bien qu'eux.

1. Elle travaille tard le soir ; il faudrait que vous _____ aussi.

2. Ils emploient une femme de ménage ; il faudrait que nous en _____ une aussi.

3. Je m'ennuie un peu ici ; je souhaite que vous ne vous y _____ pas autant que moi.

4. Nous utilisons Internet tous les jours ; il serait plus efficace qu'ils l'_____ également.

5. Marie range sa chambre parfaitement ; j'aimerais bien que les garçons _____ la leur.

6. Ils se déplacent en métro ; il faudra que nous _____ aussi en métro.

7. Elles remercient leur professeur ; il serait bien que vous _____ les vôtres.

4 Écrivez un petit texte pour dire ce que vous aimeriez changer dans vos rapports avec les autres : famille, amis, collègues, etc.

J'aimerais que _____

_____

_____

_____

_____

Les verbes en -*IR*

Ces verbes ont un subjonctif **régulier** :

- Les trois premières personnes du singulier et la 3ᵉ personne du pluriel (*je*, *tu*, *il/elle*, *ils/elles*) sont formées sur le radical de la 3ᵉ personne du pluriel du présent de l'indicatif (*ils/elles*) auquel on ajoute les terminaisons **-e**, **-es**, **-e**, **-ent**.

Exemple : finir → ils **finiss**-ent → que je **finisse**, que tu **finisses**, qu'il **finisse**, qu'ils **finissent**.

- Aux deux premières personnes du pluriel (*nous* et *vous*), le présent du subjonctif est identique à l'imparfait de l'indicatif.

Exemple : que nous **finissions**, que vous **finissiez**.

■ FINIR

que	je	finisse
que	tu	finisses
qu'	il/elle	finisse
que	nous	finissions
que	vous	finissiez
qu'	ils/elles	finissent

■ SE SOUVENIR

que	je	me souvienne
que	tu	te souviennes
qu'	il/elle	se souvienne
que	nous	nous souvenions
que	vous	vous souveniez
qu'	ils/elles	se souviennent

Et :
haïr : *que je haïsse, que nous haïssions*
s'enrichir : *que je m'enrichisse, que nous nous enrichissions*

■ OUVRIR

que	j'	ouvre
que	tu	ouvres
qu'	il/elle	ouvre
que	nous	ouvrions
que	vous	ouvriez
qu'	ils/elles	ouvrent

■ PARTIR

que	je	parte
que	tu	partes
qu'	il/elle	parte
que	nous	partions
que	vous	partiez
qu'	ils/elles	partent

■ (SE) SERVIR

que	je	(me) serve
que	tu	(te) serves
qu'	il/elle	(se) serve
que	nous	(nous) servions
que	vous	(vous) serviez
qu'	ils/elles	(se) servent

Et :
cueillir : *que je cueille, que nous cueillions*
courir : *que je coure, que nous courions*
dormir : *que je dorme, que nous dormions*
acquérir : *que j'acquière, que nous acquérions*
tenir : *que je tienne, que nous tenions*
mourir : *que je meure, que nous mourions*
fuir : *que je fuie, que nous fuyions*

1 **Conjuguez au présent et à l'imparfait de l'indicatif, puis transformez au subjonctif présent.**

	agrandir	*accueillir*	*dormir*
présent :	Ils _____ la photo.	Ils _____ les invités.	Ils _____ bien.
imparfait :	Nous _____	Nous _____	Nous _____
subjonctif :	Que tu _____	Que j'_____	Qu'elle _____
	Que nous _____	Que vous _____	Que vous _____

2 **Finissez les phrases au subjonctif présent.**

1. *ouvrir* Il fait trop chaud ici, il faut que je _____ .

2. *courir* Il n'y a plus de pain, il faut que tu _____ .

3. *partir* Nous allons être en retard, il faut que nous _____ .

4. *se servir* Cela va refroidir, il faut que vous _____ .

5. *choisir* Alors, quelle couleur préfères-tu ? Il faut qu'on _____ .

6. *prévenir* Il est malade, il faut qu'il _____ .

3 **Exprimez vos sentiments en conjuguant les verbes soulignés au subjonctif.**

Je suis choqué(e), content(e), surpris(e) que..., cela me fait plaisir que..., c'est dommage que..., etc.

1. Ils ne lui <u>offrent</u> pas de cadeau pour Noël... _____

2. Elle ne <u>viendra</u> pas le voir à l'hôpital... _____

3. Il <u>vieillit</u> mal... _____

4. Nous <u>reviendrons</u> souvent te voir... _____

5. Je <u>me sers</u> de la théière que tu m'as offerte... _____

4 **Transformez ce commentaire au subjonctif présent.**

Objectif des exercices :

Sentir la différence entre les types de verbes, parvenir à les conjuguer correctement, enrichir son vocabulaire, élargir ses possibilités d'expression, acquérir une certaine aisance dans la langue, obtenir de meilleures notes aux examens, devenir maître dans l'art de conjuguer, réussir à mieux parler français...

Nécessité :

Souffrir un peu, mais se souvenir que les efforts sont récompensés !

Ces exercices sont faits pour que vous _____

_____

_____

_____

Pour cela, il faut que vous _____

Les verbes en *-RE*

Ces verbes ont un subjonctif **régulier** :

• Les trois premières personnes du singulier et la 3e personne du pluriel (*je, tu, il/elle, ils/elles*) sont formées sur le radical de la 3e personne du pluriel du présent de l'indicatif (*ils/elles*) auquel on ajoute les terminaisons *-e, -es, -e, -ent*.

Exemple : prendre → ils **prenn**-ent → que je **prenne**, que tu **prennes**, qu'il **prenne**, qu'ils **prennent**.

• Aux deux premières personnes du pluriel (*nous* et *vous*), le présent du subjonctif est identique à l'imparfait de l'indicatif.

Exemple : que nous **prenions**, que vous **preniez**.

■ RIRE

que	je	rie
que	tu	ries
qu'	il/elle	rie
que	nous	riions
que	vous	riiez
qu'	ils/elles	rient

■ DIRE

que	je	dise
que	tu	dises
qu'	il/elle	dise
que	nous	disions
que	vous	disiez
qu'	ils/elles	disent

■ (S')INSCRIRE

que	je	(m)inscrive
que	tu	(t')inscrives
qu'	il/elle	(s')inscrive
que	nous	(nous) inscrivions
que	vous	(vous) inscriviez
qu'	ils/elles	(s')inscrivent

Et :
conduire : *que je conduise, que nous conduisions*
lire : *que je lise, que nous lisions*
écrire : *que j'écrive, que nous écrivions*

⚠ Notez les deux « i » aux 2 personnes du pluriel du verbe **rire**.

■ PRENDRE

que	je	prenne
que	tu	prennes
qu'	il/elle	prenne
que	nous	prenions
que	vous	preniez
qu'	ils/elles	prennent

■ PEINDRE

que	je	peigne
que	tu	peignes
qu'	il/elle	peigne
que	nous	peignions
que	vous	peigniez
qu'	ils/elles	peignent

■ (SE) PERDRE

que	je	(me) perde
que	tu	(te) perdes
qu'	il/elle	(se) perde
que	nous	(nous) perdions
que	vous	(vous) perdiez
qu'	ils/elles	(se) perdent

Et :
attendre : *que j'attende, que nous attendions*
répondre : *que je réponde, que nous répondions*
(se) plaindre : *que je (me) plaigne, que nous (nous) plaignions*
rejoindre : *que je rejoigne, que nous rejoignions*
résoudre : *que je résolve, que nous résolvions*

1 Conjuguez au présent de l'indicatif puis au présent du subjonctif.

dire Ils _____ qu'elle n'est pas qualifiée.

ne pas lire Ils _____ .

entendre Ils _____ circuler des rumeurs.

ne pas répondre Ils _____ .

C'est bizarre qu'on _____ .

C'est dommage que tu _____ .

Je suis surprise que tu _____ .

Il vaut mieux que je _____ .

2 Conjuguez à l'imparfait de l'indicatif, puis au présent du subjonctif.

craindre Nous _____ de perdre notre travail.

conduire Nous _____ trop vite.

prendre Nous _____ trois semaines de vacances.

interdire Nous _____ l'entrée.

C'est triste que vous _____ .

J'ai peur que vous _____ .

C'est bien que vous _____ .

Il est furieux que nous _____ .

3 Complétez au subjonctif présent selon le modèle.

L'optimiste	Le sceptique
Je suis sûr...	Je ne pense pas...
1. qu'elle comprend la situation.	qu'elle comprenne la situation.
2. qu'elles vont rire de bon cœur.	_____
3. qu'on construira un centre culturel.	_____
4. qu'il écrit un superbe roman.	_____
5. que cela va lui plaire.	_____
6. qu'ils défendent nos intérêts.	_____
7. que tu vas te joindre à nous.	_____
8. que vous résoudrez le problème.	_____

4 Complétez au subjonctif présent.

Il est utile que tu _____ à utiliser un distributeur automatique : Il suffit que *apprendre*

tu _____ ta carte bancaire dans la fente et que tu _____ jusqu'à *introduire – attendre*

ce que la machine te _____ de taper ton code secret. Une fois le code tapé, *dire*

il faut que tu _____ une somme. Juste avant que l'argent _____ , *choisir – sortir*

il est important que tu _____ vite ta carte pour qu'elle _____ *reprendre – ne pas être*

avalée par la machine... Et bien sûr, il faut que tu _____ les billets... *prendre*

5 Expliquez à des amis comment utiliser votre cafetière, votre machine à laver, votre chaîne stéréo ou un autre appareil électrique.

_____

_____

◼ CROIRE

que	je	croie
que	tu	croies
qu'	il/elle	croie
que	nous	croyions
que	vous	croyiez
qu'	ils/elles	croient

Et:
plaire: *que je plaise, que nous plaisions*
soustraire: *que je soustraie, que nous soustrayions*
se distraire: *que je me distraie, que nous nous distrayons*

◼ BOIRE

que	je	boive
que	tu	boives
qu'	il/elle	boive
que	nous	buvions
que	vous	buviez
qu'	ils/elles	boivent

◼ METTRE

que	je	mette
que	tu	mettes
qu'	il/elle	mette
que	nous	mettions
que	vous	mettiez
qu'	ils/elles	mettent

Et:
(se) battre: *que je (me) batte, que nous (nous) battions*
naître: *que je naisse, que nous naissions*
croître: *que je croisse, que nous croissions*
conclure: *que je conclue, que nous concluions*
interrompre: *que j'interrompe, que nous interrompions*
convaincre: *que je convainque, que nous convainquions*

◼ CONNAÎTRE

que	je	connaisse
que	tu	connaisses
qu'	il/elle	connaisse
que	nous	connaissions
que	vous	connaissiez
qu'	ils/elles	connaissent

◼ VIVRE

que	je	vive
que	tu	vives
qu'	il/elle	vive
que	nous	vivions
que	vous	viviez
qu'	ils/elles	vivent

Et:
suivre: *que je suive, que nous suivions*

◼ (SE) TAIRE

que	je	(me) taise
que	tu	(te) taises
qu'	il/elle	(se) taise
que	nous	(nous) taisions
que	vous	(vous) taisiez
qu'	ils/elles	(se) taisent

1 Conjuguez aux temps indiqués.

	Indicatif présent	Indicatif imparfait	Subjonctif présent
			J'aimerais tant qu(e)...
croire	ils _____	nous _____	tu me _____ / vous me _____
plaire	ils _____	nous _____	elle lui _____ / vous lui _____
connaître	ils _____	nous _____	il la _____ / vous la _____
vivre	ils _____	nous _____	elle _____ en paix / vous _____ en paix

2 Transformez les infinitifs en subjonctifs présents.

1. Il est temps de conclure.　　　　　　　　Il est temps que vous _____ .

2. Il ne faut plus m'interrompre.　　　　　Il ne faut plus que tu _____ .

3. Il est important de poursuivre ses études.　Il est important qu'ils _____ .

4. C'est magnifique de vivre un grand amour !　C'est magnifique qu'elle _____ !

5. Il est essentiel de le convaincre.　　　　Il est essentiel que nous _____ .

6. Il est urgent de transmettre ce message.　Il est urgent que je _____ .

3 Conjuguez les verbes au subjonctif présent et reliez les éléments.

1. Je ne veux plus les voir.　　　　　　　　**a.** *se taire :*　Qu'il _____ !

2. Il perturbe la classe.　　　　　　　　　**b.** *boire :*　Qu'ils _____ du porto !

3. Elle ne veut pas porter de robe.　　　　**c.** *suivre :*　Qu'il _____ le mode d'emploi !

4. Il n'y a plus de whisky.　　　　　　　　**d.** *disparaître :* Qu'elles _____ !

5. Il ne dit que des bêtises.　　　　　　　**e.** *mettre :*　Qu'elle _____ un pantalon !

6. Il ne sait pas faire marcher la machine.　**f.** *exclure :*　Qu'on l'_____ du cours !

4 Transformez les phrases selon le modèle.

Elle réussira à garder son poste si elle se bat.

→ *Elle réussira à garder son poste à condition qu'elle se batte.*

1. Nous lui pardonnerons s'il promet de ne plus recommencer.

_____

2. Je veux bien discuter avec vous si vous reconnaissez vos erreurs.

_____

3. Elles iront à cette soirée si on leur permet de sortir.

_____

4. Ils pourront venir nous voir en avril si le bébé ne naît pas avant la date prévue.

_____

Les verbes en -*OIR*

SUBJONCTIFS RÉGULIERS

Ces verbes ont un subjonctif **régulier** :
- Les trois premières personnes du singulier et la 3e personne du pluriel (*je*, *tu*, *il/elle*, *ils/elles*) sont formées sur le radical de la 3e personne du pluriel du présent de l'indicatif (*ils/elles*) auquel on ajoute les terminaisons **-e**, **-es**, **-e**, **-ent**.

Exemple : recevoir → ils **reçoiv**-ent → que je **reçoive**, que tu **reçoives**, qu'il **reçoive**, qu'ils **reçoivent**.

- Aux deux premières personnes du pluriel (*nous* et *vous*), le présent du subjonctif est identique à l'imparfait de l'indicatif.

Exemple : que nous **recevions**, que vous **receviez**.

■ **PLEUVOIR** : qu'il pleuve

■ VOIR

que	je	voie
que	tu	voies
qu'	il/elle	voie
que	nous	voyions
que	vous	voyiez
qu'	ils/elles	voient

■ S'ASSEOIR (2 conjugaisons possibles)

que	je	m'assoie	que	je	m'asseye
que	tu	t'assoies	que	tu	t'asseyes
qu'	il/elle	s'assoie	qu'	il/elle	s'asseye
que	nous	nous assoyions	que	nous nous	asseyions
que	vous	vous assoyiez	que	vous vous	asseyiez
qu'	ils/elles	s'assoient	qu'	ils/elles	s'asseyent

■ RECEVOIR

que	je	reçoive
que	tu	reçoives
qu'	il/elle	reçoive
que	nous	recevions
que	vous	receviez
qu'	ils/elles	reçoivent

■ (S')APERCEVOIR

que	je	(m')aperçoive
que	tu	(t')aperçoives
qu'	il/elle	(s')aperçoive
que	nous	(nous) apercevions
que	vous	(vous) aperceviez
qu'	ils/elles	(s')aperçoivent

Et :
(s')émouvoir : *que je (m')émeuve, que nous (nous) émouvions*

SUBJONCTIF SEMI-RÉGULIER

- Aux deux premières personnes du pluriel (*nous* et *vous*), le présent du subjonctif est identique à l'imparfait de l'indicatif.

■ VALOIR

que	je	vaille
que	tu	vailles
qu'	il/elle	vaille
que	nous	valions
que	vous	valiez
qu'	ils/elles	vaillent

1 Conjuguez aux temps indiqués.

	revoir	*s'asseoir*	*recevoir*
		(conjugaison de votre choix)	

indicatif présent : ils _____ ils _____ ils _____

indicatif imparfait : nous _____ nous _____ nous _____

subjonctif présent : que je _____ que vous _____ que tu _____

    que vous _____ que tu _____ que nous _____

2 Transformez les futurs en subjonctifs présents.

J'ai peur qu(e)...

1. Vous recevrez le paquet trop tard.   vous _____

2. Elle décevra son employeur.   elle _____

3. On ne verra plus Ivan.   on _____

4. Ils ne se reverront plus jamais.   ils _____

5. Tu ne nous verras pas avant Noël.   tu _____

3 Complétez au subjonctif présent.

– Ce serait bien que nous _____ tous, le lundi de Pâques. Il faudrait   *se voir*

que nous _____ organiser un grand pique-nique... à moins   *pouvoir*

qu'il _____ évidemment !   *pleuvoir*

– D'accord pour le pique-nique... Je ne pense pas qu'il _____ lancer une invitation   *falloir*

formelle mais il faut quand même que nous _____ le nombre de personnes à inviter. *prévoir*

4 Exprimez un jugement, en employant le subjonctif présent selon le modèle.

Dans ce pays, toutes les personnes âgées perçoivent une pension.

→ *C'est bien que toutes les personnes âgées perçoivent une pension.*

1. On prévoit une population mondiale de 7 milliards d'hommes d'ici une dizaine d'années.

_____

2. Un tableau de Van Gogh vaut au moins 10 millions de francs.

_____

3. On reçoit de plus en plus d'informations grâce à Internet.

_____

4. On s'aperçoit que la couche d'ozone se détériore de plus en plus.

_____

5 Exprimez vos craintes pour l'an 2020.

LE SUBJONCTIF PASSÉ

• Le subjonctif passé se forme avec l'auxiliaire **avoir** ou **être** au présent du subjonctif auquel on ajoute **le participe passé** du verbe à conjuguer.
• Le choix de l'auxiliaire et les règles de l'accord du participe passé sont les mêmes que pour le passé composé (voir pp. 60, 74 et 78).

Les verbes *ÊTRE, AVOIR, FAIRE, ALLER, VENIR* et les verbes en *-ER*

■ ÊTRE

que	j'	aie	été
que	tu	aies	été
qu'	il/elle	ait	été
que	nous	ayons	été
que	vous	ayez	été
qu'	ils/elles	aient	été

■ AVOIR

que	j'	aie	eu
que	tu	aies	eu
qu'	il/elle	ait	eu
que	nous	ayons	eu
que	vous	ayez	eu
qu'	ils/elles	aient	eu

■ FAIRE

que	j'	aie	fait
que	tu	aies	fait
qu'	il/elle	ait	fait
que	nous	ayons	fait
que	vous	ayez	fait
qu'	ils/elles	aient	fait

■ ALLER

que	je	sois	allé(e)
que	tu	sois	allé(e)
qu'	il/elle	soit	allé(e)
que	nous	soyons	allé(e)s
que	vous	soyez	allé(e)(s)
qu'	ils/elles	soient	allé(e)s

■ VENIR

que	je	sois	venu(e)
que	tu	sois	venu(e)
qu'	il/elle	soit	venu(e)
que	nous	soyons	venu(e)s
que	vous	soyez	venu(e)(s)
qu'	ils/elles	soient	venu(e)s

■ PARLER

que	j'	aie	parlé
que	tu	aies	parlé
qu'	il/elle	ait	parlé
que	nous	ayons	parlé
que	vous	ayez	parlé
qu'	ils/elles	aient	parlé

■ SE DÉPÊCHER

que	je	me sois	dépêché(e)
que	tu	te sois	dépêché(e)
qu'	il/elle	se soit	dépêché(e)
que	nous	nous soyons	dépêché(e)s
que	vous	vous soyez	dépêché(e)(s)
qu'	ils/elles	se soient	dépêché(e)s

Et:
oublier : *que j'aie oublié*
continuer : *que j'aie continué*
jouer : *que j'aie joué*
créer : *que j'aie créé*
appeler : *que j'aie appelé*

jeter : *que j'aie jeté*
payer : *que j'aie payé*
acheter : *que j'aie acheté*
espérer : *que j'aie espéré*

Et:
se promener : *que je me sois promené(e)*
s'ennuyer : *que je me sois ennuyé(e)*

1   **Transformez au subjonctif passé.**

1. Il n'a pas eu de chance. C'est dommage qu'il _____ .

2. Elle a été malade. C'est triste qu'elle _____ .

3. Ils n'ont pas eu envie de sortir. C'est étonnant qu'ils _____ .

4. Elles ne sont pas venues à la réception. C'est regrettable qu'elles _____ .

5. Il est parti à deux heures du matin sous la pluie. Ce n'est pas raisonnable qu'il _____ .

6. Elle a oublié son rendez-vous. C'est décevant qu'elle _____ .

2   **Mettez les verbes proposés au subjonctif passé.**

1. Quel dommage que vous _____ ! (*ne pas entrer*)

2. Quelle insouciance que tu _____ tes clés ! (*oublier*)

3. Quelle irresponsabilité qu'il _____ son loyer ! (*ne pas payer*)

4. Quelle bêtise qu'elle _____ ses études ! (*arrêter*)

5. Quel gâchis que vous _____ ces livres ! (*jeter*)

3   **Exprimez l'antériorité en mettant les verbes proposés au subjonctif passé.**

1. Je suis content que vous _____ .   (*venir*)

2. Mes parents sont fâchés que je _____ en cours.   (*ne pas aller*)

3. Je n'accepte pas que tu _____ comme cela à ta grand-mère hier.   (*parler*)

4. À la fin de la journée, il faudra qu'elle _____ toutes les personnes de la liste. (*contacter*)

5. Nous ne servirons pas le repas avant que tous les invités _____ .   (*arriver*)

6. Où qu'il _____ , il aurait dû nous prévenir.   (*aller*)

7. J'attendrai jusqu'à ce qu'elle _____ la lettre.   (*signer*)

4   **Créez un texte avec des verbes au subjonctif passé pour exprimer des incidents possibles.**

1. Vous attendiez des amis à 20 h chez vous. À 22 h ils ne sont pas arrivés. Qu'est-ce qui a bien pu se passer ?

Il est possible que _____

_____

_____

_____

2. Vous rentrez chez vous après la journée de travail. Vous trouvez la cuisine et le salon très en désordre,

sales. Qu'est-ce qui a bien pu se passer ?

Il est possible que _____

_____

_____

_____

Les verbes en *-IR*

- Le subjonctif passé se forme avec l'auxiliaire **avoir** ou **être** au présent du subjonctif auquel on ajoute **le participe passé** du verbe à conjuguer.
- Le choix de l'auxiliaire et les règles de l'accord du participe passé sont les mêmes que pour le passé composé (voir pp. 60, 74 et 78).

■ FINIR

que	j'	aie	fini
que	tu	aies	fini
qu'il/elle		ait	fini
que	nous	ayons	fini
que	vous	ayez	fini
qu'ils/elles		aient	fini

Et :
haïr : *que j'aie haï*

■ SE SOUVENIR

que	je	me sois	souvenu(e)
que	tu	te sois	souvenu(e)
qu'	il/elle	se soit	souvenu(e)
que	nous	nous soyons	souvenu(e)s
que	vous	vous soyez	souvenu(e)(s)
qu'	ils/elles	se soient	souvenu(e)s

Et :
s'enrichir : *que je me sois enrichi(e)*
se servir : *que je me sois servi(e)*
s'enfuir : *que je me sois enfui(e)*
s'évanouir : *que je me sois évanoui(e)*

■ DORMIR

que	j'	aie	dormi
que	tu	aies	dormi
qu'	il/elle	ait	dormi
que	nous	ayons	dormi
que	vous	ayez	dormi
qu'	ils/elles	aient	dormi

Et :
cueillir : *que j'aie cueilli*
fuir : *que j'aie fui*
courir : *que j'aie couru*
tenir : *que j'aie tenu*
acquérir : *que j'aie acquis*

■ OUVRIR

que	j'	aie	ouvert
que	tu	aies	ouvert
qu'	il/elle	ait	ouvert
que	nous	ayons	ouvert
que	vous	ayez	ouvert
qu'	ils/elles	aient	ouvert

Et :
offrir : *que j'aie offert*
couvrir : *que j'aie couvert*
découvrir : *que j'aie découvert*
souffrir : *que j'aie souffert*

■ PARTIR

que	je	sois	parti(e)
que	tu	sois	parti(e)
qu'	il/elle	soit	parti(e)
que	nous	soyons	parti(e)s
que	vous	soyez	parti(e)(s)
qu'	ils/elles	soient	parti(e)s

Et :
sortir : *que je sois sorti(e)*
devenir : *que je sois devenu(e)*
mourir : *que je sois mort(e)*

1 Transformez au subjonctif passé.

1. Il est sorti avant la fin du cours.   C'est inadmissible qu'il _____ .

2. Je me suis évanouie de peur.   Je comprends que tu _____ .

3. Vous êtes revenus à 6 h du matin.   Ce n'est pas raisonnable que vous _____ .

4. Ils se sont enrichis malhonnêtement.   C'est scandaleux qu'ils _____ .

5. Elle est morte loin de son pays natal.   C'est bien triste qu'elle _____ .

6. Nous avons parcouru 30 km à pied.   C'est un exploit que nous _____ .

7. Je me suis souvenu de son nom.   C'est une chance que je _____ .

2 Transformez les phrases selon le modèle en variant les sujets.

Le voyage se passera bien à condition d'avoir dormi deux heures avant de partir.

→ *Le voyage se passera bien à condition que j'aie dormi deux heures avant de partir.*

1. Ton dossier sera examiné à condition d'avoir fourni les pièces nécessaires.

_____

2. On pourra écouter de la musique à condition d'avoir prévenu les voisins.

_____

3. Ce sera une belle victoire pour nous à condition d'avoir recueilli au moins 30 % des voix.

_____

4. Ce poste lui est accessible à condition d'avoir déjà acquis une expérience internationale.

_____

3 Complétez cette lettre au subjonctif passé (attention à l'accord du participe passé).

Cher Marc,

Cela me fait très plaisir que tu m'_____ (*prévenir*). Quelle bonne nouvelle ! C'est merveilleux que tu _____ (*réussir*) ton examen et que tu _____ (*obtenir*) ton diplôme ! Je suis ravie que tes parents _____ (*consentir*) à te laisser continuer tes études, qu'ils t'_____ (*soutenir*) et qu'ils t'_____ (*faire*) confiance. Ils doivent être fiers que tu _____ (*devenir*) ingénieur ! Quel dommage que je _____ (*ne pas venir*) te féliciter en personne à cause de mes problèmes de santé... mais je te dis encore « Bravo ! » et t'embrasse affectueusement.

Tante Lise

4 À partir des éléments donnés, écrivez une note de service d'un patron à sa secrétaire.

Ton de la lettre : reproches. Motifs : arrivée au bureau à 10 h, sortie déjeuner à 11 h 30, retour déjeuner 13 h, courrier non ouvert, travail non fini, départ du bureau à 16 h.

Les verbes en -RE

- Le subjonctif passé se forme avec l'auxiliaire **avoir** ou **être** au présent du subjonctif auquel on ajoute **le participe passé** du verbe à conjuguer.
- Le choix de l'auxiliaire et les règles de l'accord du participe passé sont les mêmes que pour le passé composé (voir pp. 60, 74 et 78).

■ DIRE

que	j'	aie	dit
que	tu	aies	dit
qu'	il/elle	ait	dit
que	nous	ayons	dit
que	vous	ayez	dit
qu'	ils/elles	aient	dit

Et:
conduire: *que j'aie conduit*
écrire: *que j'aie écrit*
distraire: *que j'aie distrait*
rire: *j'aie ri*

■ CROIRE

que	j'	aie	cru
que	tu	aies	cru
qu'	il/elle	ait	cru
que	nous	ayons	cru
que	vous	ayez	cru
qu'	ils/elles	aient	cru

Et:
boire: *que j'aie bu*
plaire: *que j'aie plu*
lire: *que j'aie lu*

■ S'INSCRIRE

que	je	me sois	inscrit(e)
que	tu	te sois	inscrit(e)
qu'	il/elle	se soit	inscrit(e)
que	nous	nous soyons	inscrit(e)s
que	vous	vous soyez	inscrit(e)(s)
qu'	ils/elles	se soient	inscrit(e)s

Et:
se distraire: *que je me sois distrait(e)*
se taire: *que je me sois tu(e)*
se perdre: *que je me sois perdu(e)*
se battre: *que je me sois battu(e)*
se plaindre: *que je me sois plaint(e)*

■ ATTENDRE

que	j'	aie	attendu
que	tu	aies	attendu
qu'	il/elle	ait	attendu
que	nous	ayons	attendu
que	vous	ayez	attendu
qu'	ils/elles	aient	attendu

Et:
répondre: *que j'aie répondu*
perdre: *que j'aie perdu*
coudre: *que j'aie cousu*
résoudre: *que j'aie résolu*
peindre: *que j'aie peint*
rejoindre: *que j'aie rejoint*
connaître: *que j'aie connu*
battre: *que j'aie battu*
croître: *que j'aie crû*
vivre: *que j'aie vécu*
conclure: *que j'aie conclu*
interrompre: *que j'aie interrompu*
convaincre: *que j'aie convaincu*

■ METTRE

que	j'	aie	mis
que	tu	aies	mis
qu'	il/elle	ait	mis
que	nous	ayons	mis
que	vous	ayez	mis
qu'	ils/elles	aient	mis

Et:
prendre: *que j'aie pris*
suivre: *que j'aie suivi*

■ NAÎTRE

que	je	sois	né(e)
que	tu	sois	né(e)
qu'	il/elle	soit	né(e)
que	nous	soyons	né(e)s
que	vous	soyez	né(e)(s)
qu'	ils/elles	soient	né(e)s

Et:
descendre: *que je sois descendu(e)*

1 Exprimez vos doutes en utilisant le subjonctif passé.

1. Nous avons écrit ce discours et nous l'avons lu devant un millier de personnes.

Je ne peux pas croire que vous _____ .

2. Ils nous ont dit d'entrer et nous ont permis de nous asseoir ici.

Cela m'étonnerait qu'ils _____ .

3. Elle leur a prédit l'avenir et ils l'ont crue.

Ce n'est pas possible qu'elle _____ .

4. J'ai vécu en Iran et j'ai connu personnellement le Shah.

Je ne peux pas croire que tu _____ .

5. Ils se sont plaints auprès du directeur et nous nous sommes joints à eux.

C'est incroyable qu'ils _____ .

2 Exprimez ces regrets au subjonctif passé.

J'aurais voulu apprendre à piloter un avion, écrire une pièce de théâtre, conduire une voiture de course, vivre à la montagne, m'inscrire à un cours de cuisine indienne, entendre Arthur Rubinstein jouer au piano…

Quel dommage que je n'aie pas appris _____

_____

_____

_____

3 Complétez avec les verbes proposés au subjonctif passé.

Je n'arrive pas à croire qu'un homme _____ chez elle   *s'introduire*

sans que le chien l'_____ , qu'il _____   *mordre – descendre*

à la cave, qu'il y _____ deux bouteilles de whisky, puis qu'il   *boire*

_____ au 1ᵉʳ étage, qu'il _____ tous les bijoux   *remonter – prendre*

et qu'il _____ sans que les voisins ne l'_____ !   *disparaître – entendre*

4 Finissez les phrases avec le verbe qui convient conjugué au subjonctif passé.

     se perdre – s'inscrire – attendre – prendre – suivre

1. Nous sommes très en retard… Pourvu qu'ils _____ !

2. Les inscriptions sont finies depuis hier… Pourvu qu'elle _____ !

3. Il pleut très fort… Pourvu qu'il _____ !

4. Ils ne sont pas encore arrivés…. Pourvu qu'ils _____ !

5. Je lui ai conseillé de faire attention… Pourvu qu'il _____ !

Les verbes en -OIR

- Le subjonctif passé se forme avec l'auxiliaire **avoir** ou **être** au présent du subjonctif auquel on ajoute **le participe passé** du verbe à conjuguer.
- Le choix de l'auxiliaire et les règles de l'accord du participe passé sont les mêmes que pour le passé composé (voir pp. 60, 74 et 78).

◼ POUVOIR

que j'	aie	pu
que tu	aies	pu
qu' il/elle	ait	pu
que nous	ayons	pu
que vous	ayez	pu
qu' ils/elles	aient	pu

Et:
devoir : *que j'aie dû*
savoir : *que j'aie su*
valoir : *que j'aie valu*

◼ VOULOIR

que j'	aie	voulu
que tu	aies	voulu
qu' il/elle	ait	voulu
que nous	ayons	voulu
que vous	ayez	voulu
qu' ils/elles	aient	voulu

◼ S'ASSEOIR

que je	me sois	assis(e)
que tu	te sois	assis(e)
qu' il/elle	se soit	assis(e)
que nous	nous soyons	assis(es)
que vous	vous soyez	assis(e)(s)
qu' ils/elles	se soient	assis(es)

◼ FALLOIR : qu'il ait fallu

◼ PLEUVOIR : qu'il ait plu

◼ VOIR

que j'	aie	vu
que tu	aies	vu
qu' il/elle	ait	vu
que nous	ayons	vu
que vous	ayez	vu
qu' 'ils/elles	aient	vu

◼ RECEVOIR

que j'	aie	reçu
que tu	aies	reçu
qu' il/elle	ait	reçu
que nous	ayons	reçu
que vous	ayez	reçu
que ils/elles	aient	reçu

◼ S'APERCEVOIR

que je	me sois	aperçu(e)
que tu	te sois	aperçu(e)
qu' il/elle	se soit	aperçu(e)
que nous	nous soyons	aperçu(e)s
que vous	vous soyez	aperçu(e)(s)
qu' ils/elles	se soient	aperçu(e)s

Et:
s'émouvoir : *que je me sois ému(e)*

1   **Faites des phrases selon le modèle à partir des éléments donnés.**

Il n'a pas plu… On a eu de la chance ! → *On a eu de la chance qu'il n'ait pas plu !*

1. Vous n'avez pas reçu le paquet ? Nous sommes surpris.

_____

2. Ils se sont revus par hasard vingt ans plus tard ? C'est drôle.

_____

3. Nous avons pu assister à son mariage… Je suis très heureuse.

_____

4. Elle a bien voulu nous faire visiter tous les lieux touristiques. C'est gentil.

_____

5. Il a dû rester chez lui pour travailler. C'est dommage.

_____

6. Il a fallu encore déménager ! C'est pénible.

_____

2   **Complétez avec les verbes proposés au subjonctif passé.**

1. *devoir*   Ils devraient arriver à moins qu'ils _____ s'arrêter sur la route.

2. *voir*   Il nous faudra des mois avant que nous _____ tous les musées de Paris !

3. *s'apercevoir*   On vous a volé votre portefeuille sans que vous _____ de rien ?

4. *ne pas pouvoir*   Je suis satisfaite bien que je _____ faire tout ce que je voulais.

5. *s'asseoir*   Les invités ont attendu jusqu'à ce que l'hôtesse _____ .

6. *valoir*   En supposant que cela _____ la peine, on n'avait aucun moyen d'agir.

7. *décevoir*   Bien que tu m'_____ , je ne t'en veux pas.

3   **Lisez cet extrait d'un poème de Boris Vian, puis composez une autre strophe.**

[…]

Je ne voudrais pas mourir	Je ne voudrais pas mourir
Sans qu'on ait inventé	Sans que _____
Les roses éternelles	_____
Les journées de deux heures	Et que _____
La mer à la montagne	_____
La montagne à la mer	Avant que _____
La fin de la douleur	_____
Les journaux en couleur	Et que _____
Tous les enfants contents	_____

1 Conjuguez au conditionnel présent.

1. *être* il _____   **5.** *venir* nous _____   **9.** *punir* je _____

2. *avoir* je _____   **6.** *savoir* ils _____   **10.** *perdre* elle _____

3. *pouvoir* tu _____   **7.** *envoyer* il _____   **11.** *mettre* ils _____

4. *falloir* il _____   **8.** *jouer* elles _____   **12.** *voir* il _____

2 Complétez au conditionnel présent avec le verbe qui convient.

1. *utiliser – remplir – peindre – être – représenter – avoir*

Je _____ peintre. Je _____ le bleu et le noir. Je _____ des paysages marins ; je _____ des cieux orageux ; sur mes tableaux, il n'y _____ pas de personnages ; l'immensité de la mer et du ciel _____ ma toile.

2. *applaudir – se servir – montrer – avoir – être (2) – faire – parler – aimer – jouer (2)*

Nous _____ être des artistes de théâtre. Je _____ metteur en scène et vous _____ acteurs. Je _____ du répertoire classique et moderne. Je _____ de superbes mises en scène. Tu _____ les rôles tragiques et Nicolas, _____ les rôles comiques. On _____ nos spectacles à Paris et en province. Nous _____ nos noms sur les affiches ; le public nous _____. Les journaux et la télévision _____ de nos succès.

3 Transformez les conditionnels présents de l'exercice 2 en conditionnels passés.

_____

_____

_____

_____

_____

_____

4 Conjuguez les verbes proposés au conditionnel présent puis récrivez le texte au conditionnel passé.

Nous _____ (*accepter*) bien votre invitation mais il _____ (*falloir*) que nous ayons des places dans l'avion. Je _____ (*vouloir*) aussi, avant de partir, trouver quelqu'un qui _____ (*s'occuper*) de la maison et du jardin. Il _____ (*être*) nécessaire que Marion puisse compter sur un collègue qui la _____ (*remplacer*) au bureau pendant dix jours. Nous _____ (*venir*) bien volontiers habiter chez vous mais _____ (*avoir*) -vous assez de place pour nous loger avec les enfants ?

1 Conjuguez les verbes au subjonctif présent.

Il faudra que :

1. tu _____ (*avoir*) de l'argent.

2. il _____ (*être*) prudent.

3. vous _____ (*pouvoir*) arriver tôt.

4. nous _____ (*aller*) à la gare.

5. je _____ (*revenir*) avant 10 h.

6. nous _____ (*déplacer*) les meubles.

7. vous _____ (*jeter*) un coup d'œil.

8. ils _____ (*faire*) attention.

9. elle _____ (*appeler*) sa sœur.

10. tu _____ (*nourrir*) le chien.

11. nous _____ (*repartir*) avant la nuit.

12. vous les _____ (*accueillir*) avec le sourire.

13. tu _____ (*offrir*) un cadeau.

14. ils _____ (*attendre*) notre retour.

15. je le _____ (*convaincre*).

16. elle l'_____ (*interrompre*).

17. vous _____ (*comprendre*) leur point de vue.

18. ils _____ (*résoudre*) cette énigme.

19. tu _____ (*se taire*).

20. vous _____ (*dire*) ce que vous en pensez.

2 Mettez les verbes proposés au subjonctif présent.

1. Il faut que pour demain vous _____ (*apprendre*) les règles que nous avons étudiées aujourd'hui, que vous _____ (*savoir*) conjuguer les verbes de la page 48 au subjonctif, que vous _____ (*finir*) l'exercice 2 de la page 49 et que vous _____ (*faire*) les exercices de la page 50.

2. Jerôme, j'aimerais que tu _____ (*remettre*) les livres à leur place, que tu _____ (*nettoyer*) ton bureau, que tu _____ (*réfléchir*) à l'organisation de ton travail dans la semaine, que tu _____ (*aller*) faire des courses et que tu _____ (*conduire*) ta petite sœur chez le dentiste.

3. Je comprends que vous _____ (*vouloir*) changer de travail mais je ne pense pas que vous _____ (*obtenir*) un salaire plus élevé avant que votre supérieur _____ (*avoir*) l'accord du PDG. Je crains que le directeur _____ (*ne pas vouloir*) que nous vous _____ (*accorder*) une revalorisation de vos gains.

3 Mettez les verbes au subjonctif passé.

1. Il est possible qu'ils _____ (*venir*) en notre absence, qu'ils _____ (*attendre*) longtemps et qu'ils _____ (*repartir*) sans laisser de message.

2. Il semble que vous _____ (*être*) déçu, que vous _____ (*hésiter*) à en parler et que vous _____ (*se taire*).

3. Je suis heureux que tu _____ (*se libérer*), que tu _____ (*aller*) les accueillir et qu'ils _____ (*apprécier*) ta gentillesse.

4. Il partira en voyage à condition qu'il _____ (*réussir*) ses examens et qu'il _____ (*mettre*) de l'argent de côté.

14 LE PARTICIPE PRÉSENT

Les auxiliaires, les semi-auxiliaires et les verbes en *-ER*

- Le participe présent se forme sur le radical de la 1ʳᵉ personne du pluriel du présent de l'indicatif auquel on ajoute la terminaison *-ant*.
Exemple : faire → nous fais-ons → radical = **fais** → **faisant**.

PARTICIPES PRÉSENTS IRRÉGULIERS

- **AVOIR** : ayant
- **ÊTRE** : étant
- **SAVOIR** : sachant

PARTICIPES PRÉSENTS RÉGULIERS

- **POUVOIR** : pouvant
- **DEVOIR** : devant
- **VOULOIR** : voulant

- **FAIRE** : faisant
- **VENIR** : venant
- **ALLER** : allant

- **PARLER** : parlant
- **MANGER** : mangeant
- **COMMENCER** : commençant

♪ Pour les verbes en *-ger*, on ajoute un « **e** » devant *-ant* pour garder le son [ʒ] et pour les verbes en *-cer*, on met un **c cédille** (ç) pour garder le son [s].

⚠ Le participe présent est **invariable** :
Étant *très en retard, elles décidèrent de prendre un taxi.*

FORMES COMPOSÉES DU PARTICIPE PRÉSENT

- Formation : ***ayant*** ou ***étant*** + **participe passé**.
- Pour le choix de l'auxiliaire et les règles de l'accord du participe passé, voir pp. 60, 74 et 78.

avoir : ayant eu	**vouloir :** ayant voulu	**venir :** étant venu(e)(s)
être : ayant été	**parler :** ayant parlé	**aller :** étant allé(e)(s)
savoir : ayant su	**manger :** ayant mangé	**se dépêcher :** s'étant dépêché(e)(s)
devoir : ayant dû	**commencer :** ayant commencé	**se lever :** s'étant levé(e)(s)

⚠ Pour les verbes pronominaux, le pronom varie avec le sujet et le participe passé s'accorde avec celui-ci.
Nous *étant* **levés** *de bonne heure, nous sortîmes discrètement de la maison.*

1   **Mettez les verbes proposés au participe présent.**

1. _____ (*avoir*) juste vingt ans, _____ (*être*) libre, il profitait de la vie.

2. Elle le rencontrait souvent _____ (*faire*) sa promenade le long de la rivière.

3. L'artiste a peint des paysans _____ (*revenir*) des champs.

4. Je les ai aperçus _____ (*nager*) près des rochers.

5. _____ (*devoir*) assumer très jeune des responsabilités, c'est un garçon qui a mûri très tôt.

2   **Conjuguez les verbes au participe présent pour former le gérondif et reliez les éléments.**

1. Vous déclenchez l'alarme   **a.** en _____ de planter un clou (*essayer*).

2. Expirez fort   **b.** en _____ que c'était inutile (*savoir*).

3. Je me suis fait mal   **c.** en _____ les bras (*baisser*).

4. Il est tombé   **d.** en _____ son discours (*commencer*).

5. Ils ont fait des propositions   **e.** en _____ de sa chaise (*se lever*).

6. Elle tremblait de peur   **f.** en _____ ce bouton (*pousser*).

3   **Rédigez une petite annonce en remplaçant les propositions relatives par des participes présents.**

Couple avec enfants cherche pour

juillet une personne responsable :

– qui puisse s'occuper de 2 enfants,

– qui sache cuisiner,

– qui aime jardiner,

– qui conduise depuis plus de 2 ans,

– qui nage parfaitement.

Couple avec enfants cherche pour

juillet une personne responsable :

_____

_____

_____

_____

_____

4   **Remplacez « comme » par le participe présent à la forme composée.**

1. Comme j'ai été seule pendant longtemps, il m'est difficile de vivre avec quelqu'un.

_____

2. Comme nous étions sortis sans leur permission, nous avons été punis pendant un mois.

_____

3. Comme ils avaient su qu'elle arrivait, ils lui préparèrent une surprise.

_____

4. Comme j'étais parti précipitamment, j'ai oublié mes clés sur la table.

_____

5. Comme elle s'était promenée longtemps sur la plage, elle se sentait fatiguée.

_____

Les verbes en *-IR, -RE, -OIR*

LES VERBES EN *-IR*

finir : finissant

haïr : haïssant

ouvrir : ouvrant

cueillir : cueillant

courir : courant

dormir : dormant

partir : partant

mourir : mourant

acquérir : acquérant

fuir : fuyant

tenir : tenant

s'évanouir : s'évanouissant

se servir : se servant

se souvenir : se souvenant

LES VERBES EN *-RE*

rire : riant

dire : disant

conduire : conduisant

lire : lisant

écrire : écrivant

attendre : attendant

répondre : répondant

peindre : peignant

rejoindre : rejoignant

coudre : cousant

résoudre : résolvant

prendre : prenant

plaire : plaisant

distraire : distrayant

croire : croyant

boire : buvant

mettre : mettant

connaître : connaissant

naître : naissant

croître : croissant

suivre : suivant

vivre : vivant

conclure : concluant

interrompre : interrompant

convaincre : convainquant

s'inscrire : s'inscrivant

se perdre : se perdant

se plaindre : se plaignant

se battre : se battant

LES VERBES EN *-OIR*

pleuvoir : pleuvant

voir : voyant

valoir : valant

recevoir : recevant

s'asseoir : s'asseyant

s'apercevoir : s'apercevant

s'émouvoir : s'émouvant

FORMES COMPOSÉES DU PARTICIPE PRÉSENT DES VERBES EN *-IR, -RE, -OIR*

• Formation : ***ayant*** ou ***étant*** + **participe passé**. Pour le choix de l'auxiliaire et les règles de l'accord du participe passé, voir pp. 60, 74 et 78.

prendre : ayant pris   **partir :** étant parti(e)(s)   **se servir :** s'étant servi(e)(s)

1   **Mettez les verbes au participe présent.**

1. Quand elle sortit dans la rue, elle vit les gens _____ (*courir*) et _____ (*s'enfuir*) vers la rivière.

2. _____ (*se souvenir*) subitement de son rendez-vous, il sortit sans dire au revoir.

3. Elle le vit _____ (*ouvrir*) la lettre et la _____ (*tenir*) dans ses mains qui tremblaient.

4. Quand j'entrai dans la chambre, j'aperçus les enfants _____ (*dormir*) à poings fermés.

5. Je les entendais le soir _____ (*plaisanter*), _____ (*boire*) et _____ (*rire*).

2   **Mettez les verbes au gérondif comme dans l'exemple.**

Elle lisait et attendait qu'ils arrivent. → *Elle lisait en attendant qu'ils arrivent.*

1. Elle écoutait la radio et cousait.

_____

2. Elle chante à tue-tête et prend sa douche.

_____

3. Elle serait heureuse et vivrait loin du monde.

_____

4. Il pensait à sa journée et rangeait ses affaires.

_____

5. Elle me raconte ses malheurs et elle se plaint.

_____

6. Il décide de tout et croit qu'il a raison.

_____

3   **Transformez les phrases au gérondif selon le modèle.**

Vous réussirez si vous vous battez avec énergie.

→ *Vous réussirez en vous battant avec énergie.*

1. Je me sortirai de cette crise si je résous mes problèmes les uns après les autres.

_____

2. Vous n'arriverez jamais à la fin si vous vous perdez dans des détails inutiles.

_____

3. Elle perdra tous ses amis si elle se plaint sans arrêt.

_____

4. Tu déchireras ta robe si tu t'assieds sur cette chaise cassée.

_____

4   **Remplacez « comme » par le participe présent à la forme composée.**

1. Comme elle avait ouvert la fenêtre, elle pouvait apercevoir le soleil au-dessus de la montagne.

_____

2. Comme nous étions revenus tôt le matin, nous n'avions pas rencontré d'embouteillages.

_____

3. Comme je me suis aperçu de mon erreur, je me suis dépêché de les prévenir.

_____

L'INFINITIF PASSÉ

- L'infinitif passé se forme avec **être** ou **avoir** à **l'infinitif** auquel on ajoute **le participe passé** du verbe à conjuguer.
- Le choix de l'auxiliaire et la règle d'acord du participe passé suivent les mêmes règles que celles du passé composé (voir pp. 60, 74 et 78).

> *Elle regrette d'être allée à cette conférence où elle s'est ennuyée.*
> *Je suis désolé de les avoir dérangés.*

⚠ Pour les verbes pronominaux, le pronom varie avec le sujet et le participe passé s'accorde avec celui-ci :
*Nous sommes heureux de **nous** être installés dans cette région.*

RÉCAPITULATIF DES PARTICIPES PASSÉS

	Auxiliaires et semi-auxiliaires	Verbes en -*er*	Verbes en -*ir*	Verbes en -*re*	Verbes en -*oir*
-*é*	être : *été* aller : *allé*	tous les verbes -*er*		naître : *né*	
-*u*	avoir : *eu* venir : *venu* pouvoir : *pu* vouloir : *voulu* devoir : *dû* falloir : *fallu* savoir : *su*		courir : *couru* tenir : *tenu*	lire : *lu* attendre : *attendu* coudre : *cousu* résoudre : *résolu* plaire : *plu* boire : *bu* croire : *cru* connaître : *connu* croître : *crû* vivre : *vécu* conclure : *conclu*	pleuvoir : *plu* voir : *vu* valoir : *valu* recevoir : *reçu* émouvoir : *ému* apercevoir : *aperçu*
-*i*			finir : *fini* cueillir : *cueilli* dormir : *dormi* sortir : *sorti* partir : *parti* servir : *servi* fuir : *fui*	rire : *ri* suivre : *suivi*	
-*is*			acquérir : *acquis*	prendre : *pris* mettre : *mis*	s'asseoir : *assis*
-*t*	faire : *fait*		ouvrir : *ouvert* mourir : *mort*	dire : *dit* conduire : *conduit* écrire : *écrit* peindre : *peint* plaindre : *plaint* rejoindre : *rejoint* distraire : *distrait*	

E X E R C I C E S

1 Donnez les infinitifs passés des verbes suivants.

être _____   choisir _____   courir _____   croire _____

avoir _____   s'apercevoir _____   rester _____   prendre _____

faire _____   s'endormir _____   offrir _____   vivre _____

aller _____   savoir _____   se lever _____   écrire _____

2 Transformez les phrases soulignées en utilisant le participe passé selon le modèle.

Elle espère qu'elle sera arrivée avant 18 heures. → *Elle espère être arrivée avant 18 heures.*

1. J'espère que je serai revenu avant leur départ.

_____

2. Elle croit qu'elle aura fini avant la fin du mois.

_____

3. Nous pensons que nous aurons tout lu d'ici le 15.

_____

4. Ils s'imaginent qu'ils auront terminé le programme avant la fin de l'année.

_____

5. Elles pensent qu'elles se sont trompées.

_____

3 Choisissez un verbe parmi les verbes proposés et conjuguez-le à l'infinitif passé.

relire – rentrer – vivre – ne pas recevoir – rédiger

1. Elle regrette de _____ le résultat des analyses avant.

2. Je veux _____ le plan de la thèse d'ici la fin du mois.

3. Nous désirons _____ avant la nuit.

4. Ils aimeraient _____ le dossier avant son retour.

5. Je voudrais _____ avant la révolution industrielle.

4 Utilisez les éléments proposés en conjuguant les verbes au temps qui convient : temps indiqué ou infinitif passé.

1. lire ce livre / pouvoir me le prêter (*futur*)

Après _____ , _____-vous _____ ?

2. accepter l'offre / y réfléchir (*passé composé*)

Nous _____ , après _____ .

3. se reposer / se mettre à travailler (*passé simple*)

Après _____ , elles _____ .

4. déjeuner / se promener dans le bois (*imparfait*)

Après _____ , il _____ .

LA VOIX PASSIVE

- La voix passive se forme avec **être** conjugué à tous les temps auquel on ajoute **le participe passé** du verbe à conjuguer.
- Le participe passé s'accorde avec le sujet.

◼ AIMER
Présent

je	suis	aimé(e)
tu	es	aimé(e)
il/elle	est	aimé(e)
nous	sommes	aimé(e)s
vous	êtes	aimé(e)(s)
ils/elles	sont	aimé(e)s

◼ PERDRE
Imparfait

j'	étais	perdu(e)
tu	étais	perdu(e)
il/elle	était	perdu(e)
nous	étions	perdu(e)s
vous	étiez	perdu(e)(s)
ils/elles	étaient	perdu(e)s

◼ ÉLIRE
Futur

je	serai	élu(e)
tu	seras	élu(e)
il/elle	sera	élu(e)
nous	serons	élu(e)s
vous	serez	élu(e)(s)
ils/elles	seront	élu(e)s

Et: **futur antérieur**
→ *j'aurai été élu(e)*

◼ CONNAÎTRE
Conditionnel présent

je	serais	connu(e)
tu	serais	connu(e)
il/elle	serait	connu(e)
nous	serions	connu(e)s
vous	seriez	connu(e)(s)
ils/elles	seraient	connu(e)s

Et: **conditionnel passé**
→ *j'aurais été connu(e)*

◼ PUNIR
Passé composé

j'	ai	été	puni(e)
tu	as	été	puni(e)
il/elle	a	été	puni(e)
nous	avons	été	puni(e)s
vous	avez	été	puni(e)(s)
ils/elles	ont	été	puni(e)s

◼ CHOISIR
Plus-que-parfait

j'	avais	été	choisi(e)
tu	avais	été	choisi(e)
il/elle	avait	été	choisi(e)
nous	avions	été	choisi(e)s
vous	aviez	été	choisi(e)(s)
ils/elles	avaient	été	choisi(e)s

◼ RECEVOIR
Passé simple

je	fus	reçu(e)
tu	fus	reçu(e)
il/elle	fut	reçu(e)
nous	fûmes	reçu(e)s
vous	fûtes	reçu(e)(s)
ils/elles	furent	reçu(e)s

Et: **passé antérieur**
→ *j'eus été reçu(e)*

◼ SURPRENDRE
Subjonctif présent

que	je	sois	surpris(e)
que	tu	sois	surpris(e)
qu'	il/elle	soit	surpris(e)
que	nous	soyons	surpris(es)
que	vous	soyez	surpris(e)(s)
qu'	ils/elles	soient	surpris(es)

Et: **subjonctif passé**
→ *que j'aie été surpris(e)*

E X E R C I C E S

1 Conjuguez les verbes au passif aux temps demandés.

1. *présent* Elle _____ par tous ses collègues. (*respecter*)

2. *passé composé* Nous _____ avec gentillesse. (*recevoir*)

3. *plus-que-parfait* Il _____ à cette époque dans le monde entier. (*connaître*)

4. *futur* On dit qu'il _____ Premier ministre. (*nommer*)

5. *passé simple* Ils _____ et s'efforcèrent de réussir. (*élire*)

6. *conditionnel présent* On prétend qu'elles _____ de renvoi. (*menacer*)

7. *conditionnel passé* Ce procédé _____ avant 1950. (*découvrir*)

8. *subjonctif présent* Il est dommage que tu _____ . (*ne pas inviter*)

9. *subjonctif passé* Il est regrettable qu'il _____ sans preuve. (*accuser*)

2 Mettez les phrases proposées à la voix passive selon le modèle.

Tout le monde admire Sophie. → *Sophie est admirée par tout le monde.*

1. Le public applaudit les comédiens. _____

2. Une manifestation a interrompu la séance. _____

3. L'université organisera une fête à la fin de l'année. _____

4. On m'a accusé pour rien. _____

5. On donnerait la pièce jusqu'en mars. _____

6. Il est possible qu'on construise des immeubles sur la côte. _____

7. On utilisa ce système pendant des années. _____

3 Faites des phrases à la voix passive avec les éléments proposés aux temps demandés.

1. *présent* séduire / des milliers de spectateurs / par son talent

2. *passé composé* abolir / la peine de mort / en France, en 1981

3. *futur* récompenser / les meilleurs candidats / par le ministre

4. *plus-que-parfait* surprendre / les randonneurs / par la tempête

5. *conditionnel présent* éclairer / la table / par des bougies

6. *passé simple* oublier / cet auteur et son œuvre / pendant vingt ans

4 Développez ces titres de journaux en utilisant la voix passive au temps demandé.

1. *présent* Ce jour : 21 juin – Organisation dans toute la ville de la Fête de la musique – Aménagement de podiums dans tous les quartiers

2. *passé composé* Mai 1981 – Élection de François Mitterrand à la présidence de la République

3. *imparfait* 1957 – Création de la CEE

4. *futur* 2001 – Aménagement d'une zone industrielle dans le secteur est de la ville

5. *passé simple* Après la Seconde Guerre mondiale – Découverte de la pénicilline

ÊTRE

INDICATIF **Présent**

je	suis
tu	es
il/elle	est
nous	sommes
vous	êtes
ils/elles	sont

Passé composé

j'	ai	été
tu	as	été
il/elle	a	été
nous	avons	été
vous	avez	été
ils/elles	ont	été

Imparfait

j'	étais
tu	étais
il/elle	était
nous	étions
vous	étiez
ils/elles	étaient

Plus-que-parfait

j'	avais	été
tu	avais	été
il/elle	avait	été
nous	avions	été
vous	aviez	été
ils/elles	avaient	été

Passé simple

je	fus
tu	fus
il/elle	fut
nous	fûmes
vous	fûtes
ils/elles	furent

Passé antérieur

j'	eus	été
tu	eus	été
il/elle	eut	été
nous	eûmes	été
vous	eûtes	été
ils/elles	eurent	été

Futur simple

je	serai
tu	seras
il/elle	sera
nous	serons
vous	serez
ils/elles	seront

Futur antérieur

j'	aurai	été
tu	auras	été
il/elle	aura	été
nous	aurons	été
vous	aurez	été
ils/elles	auront	été

CONDITIONNEL **Présent**

je	serais
tu	serais
il/elle	serait
nous	serions
vous	seriez
ils/elles	seraient

Passé

j'	aurais	été
tu	aurais	été
il/elle	aurait	été
nous	aurions	été
vous	auriez	été
ils/elles	auraient	été

SUBJONCTIF **Présent**

que	je	sois
que	tu	sois
qu'	il/elle	soit
que	nous	soyons
que	vous	soyez
qu'	ils/elles	soient

Passé

que	j'	aie	été
que	tu	aies	été
qu'	il/elle	ait	été
que	nous	ayons	été
que	vous	ayez	été
qu'	ils/elles	aient	été

INFINITIF

Présent
être

Passé
avoir été

PARTICIPE

Présent
étant

Passé
été
ayant été

IMPÉRATIF

Présent
sois
soyons
soyez

AVOIR

Présent

j'	ai
tu	as
il/elle	a
nous	avons
vous	avez
ils/elles	ont

Passé composé

j'	ai	eu
tu	as	eu
il/elle	a	eu
nous	avons	eu
vous	avez	eu
ils/elles	ont	eu

Imparfait

j'	avais
tu	avais
il/elle	avait
nous	avions
vous	aviez
ils/elles	avaient

Plus-que-parfait

j'	avais	eu
tu	avais	eu
il/elle	avait	eu
nous	avions	eu
vous	aviez	eu
ils/elles	avaient	eu

Passé simple

j'	eus
tu	eus
il/elle	eut
nous	eûmes
vous	eûtes
ils/elles	eurent

Passé antérieur

j'	eus	eu
tu	eus	eu
il/elle	eut	eu
nous	eûmes	eu
vous	eûtes	eu
ils/elles	eurent	eu

Futur simple

j'	aurai
tu	auras
il/elle	aura
nous	aurons
vous	aurez
ils/elles	auront

Futur antérieur

j'	aurai	eu
tu	auras	eu
il/elle	aura	eu
nous	aurons	eu
vous	aurez	eu
ils/elles	auront	eu

CONDITIONNEL **Présent**

j'	aurais
tu	aurais
il/elle	aurait
nous	aurions
vous	auriez
ils/elles	auraient

Passé

j'	aurais	eu
tu	aurais	eu
il/elle	aurait	eu
nous	aurions	eu
vous	auriez	eu
ils/elles	auraient	eu

SUBJONCTIF **Présent**

que	j'	aie
que	tu	aies
qu'	il/elle	ait
que	nous	ayons
que	vous	ayez
qu'	ils/elles	aient

Passé

que	j'	aie	eu
que	tu	aies	eu
qu'	il/elle	ait	eu
que	nous	ayons	eu
que	vous	ayez	eu
qu'	ils/elles	aient	eu

INFINITIF

Présent
avoir

Passé
avoir eu

PARTICIPE

Présent
ayant

Passé
eu
ayant eu

IMPÉRATIF

Présent
aie
ayons
ayez

AIMER

INDICATIF	Présent		Passé composé		
	j'	aime	j'	ai	aimé
	tu	aimes	tu	as	aimé
	il/elle	aime	il/elle	a	aimé
	nous	aimons	nous	avons	aimé
	vous	aimez	vous	avez	aimé
	ils/elles	aiment	ils/elles	ont	aimé

	Imparfait		Plus-que-parfait		
	j'	aimais	j'	avais	aimé
	tu	aimais	tu	avais	aimé
	il/elle	aimait	il/elle	avait	aimé
	nous	aimions	nous	avions	aimé
	vous	aimiez	vous	aviez	aimé
	ils/elles	aimaient	ils/elles	avaient	aimé

	Passé simple		Passé antérieur		
	j'	aimai	j'	eus	aimé
	tu	aimas	tu	eus	aimé
	il/elle	aima	il/elle	eut	aimé
	nous	aimâmes	nous	eûmes	aimé
	vous	aimâtes	vous	eûtes	aimé
	ils/elles	aimèrent	ils/elles	eurent	aimé

	Futur simple		Futur antérieur		
	j'	aimerai	j'	aurai	aimé
	tu	aimeras	tu	auras	aimé
	il/elle	aimera	il/elle	aura	aimé
	nous	aimerons	nous	aurons	aimé
	vous	aimerez	vous	aurez	aimé
	ils/elles	aimeront	ils/elles	auront	aimé

CONDITIONNEL	Présent		Passé		
	j'	aimerais	j'	aurais	aimé
	tu	aimerais	tu	aurais	aimé
	il/elle	aimerait	il/elle	aurait	aimé
	nous	aimerions	nous	aurions	aimé
	vous	aimeriez	vous	auriez	aimé
	ils/elles	aimeraient	ils/elles	auraient	aimé

SUBJONCTIF	Présent			Passé			
	que	j'	aime	que	j'	aie	aimé
	que	tu	aimes	que	tu	aies	aimé
	qu'	il/elle	aime	qu'	il/elle	ait	aimé
	que	nous	aimions	que	nous	ayons	aimé
	que	vous	aimiez	que	vous	ayez	aimé
	qu'	ils/elles	aiment	qu'	ils/elles	aient	aimé

INFINITIF

Présent
aimer

Passé
avoir aimé

PARTICIPE

Présent
aimant

Passé
aimé
ayant aimé

IMPÉRATIF

Présent
aime
aimons
aimez

CHANGER

Présent

je	change
tu	changes
il/elle	change
nous	changeons
vous	changez
ils/elles	changent

Passé composé

j'	ai	changé
tu	as	changé
il/elle	a	changé
nous	avons	changé
vous	avez	changé
ils/elles	ont	changé

Imparfait

je	changeais
tu	changeais
il/elle	changeait
nous	changions
vous	changiez
ils/elles	changeaient

Plus-que-parfait

j'	avais	changé
tu	avais	changé
il/elle	avait	changé
nous	avions	changé
vous	aviez	changé
ils/elles	avaient	changé

Passé simple

je	changeai
tu	changeas
il/elle	changea
nous	changeâmes
vous	changeâtes
ils/elles	changèrent

Passé antérieur

j'	eus	changé
tu	eus	changé
il/elle	eut	changé
nous	eûmes	changé
vous	eûtes	changé
ils/elles	eurent	changé

Futur simple

je	changerai
tu	changeras
il/elle	changera
nous	changerons
vous	changerez
ils/elles	changeront

Futur antérieur

j'	aurai	changé
tu	auras	changé
il/elle	aura	changé
nous	aurons	changé
vous	aurez	changé
ils/elles	auront	changé

CONDITIONNEL **Présent**

je	changerais
tu	changerais
il/elle	changerait
nous	changerions
vous	changeriez
ils/elles	changeraient

Passé

j'	aurais	changé
tu	aurais	changé
il/elle	aurait	changé
nous	aurions	changé
vous	auriez	changé
ils/elles	auraient	changé

SUBJONCTIF **Présent**

que	je	change
que	tu	changes
qu'	il/elle	change
que	nous	changions
que	vous	changiez
qu'	ils/elles	changent

Passé

que	j'	aie	changé
que	tu	aies	changé
qu'	il/elle	ait	changé
que	nous	ayons	changé
que	vous	ayez	changé
qu'	ils/elles	aient	changé

INFINITIF

Présent
changer

Passé
avoir changé

PARTICIPE

Présent
changeant

Passé
changé
ayant changé

IMPÉRATIF

Présent
change
chnageons
changez

ÉTUDIER

INDICATIF

Présent

j'	étudie
tu	étudies
il/elle	étudie
nous	étudions
vous	étudiez
ils/elles	étudient

Passé composé

j'	ai	étudié
tu	as	étudié
il/elle	a	étudié
nous	avons	étudié
vous	avez	étudié
ils/elles	ont	étudié

Imparfait

j'	étudiais
tu	étudiais
il/elle	étudiait
nous	étudiions
vous	étudiiez
ils/elles	étudiaient

Plus-que-parfait

j'	avais	étudié
tu	avais	étudié
il/elle	avait	étudié
nous	avions	étudié
vous	aviez	étudié
ils/elles	avaient	étudié

Passé simple

j'	étudiai
tu	étudias
il/elle	étudia
nous	étudiâmes
vous	étudiâtes
ils/elles	étudièrent

Passé antérieur

j'	eus	étudié
tu	eus	étudié
il/elle	eut	étudié
nous	eûmes	étudié
vous	eûtes	étudié
ils/elles	eurent	étudié

Futur simple

j'	étudierai
tu	aimeras
il/elle	étudiera
nous	étudierons
vous	étudierez
ils/elles	étudieront

Futur antérieur

j'	aurai	étudié
tu	auras	étudié
il/elle	aura	étudié
nous	aurons	étudié
vous	aurez	étudié
ils/elles	auront	étudié

CONDITIONNEL

Présent

j'	étudierais
tu	étudierais
il/elle	étudierait
nous	étudierions
vous	étudieriez
ils/elles	étudieraient

Passé

j'	aurais	étudié
tu	aurais	étudié
il/elle	aurait	étudié
nous	aurions	étudié
vous	auriez	étudié
ils/elles	auraient	étudié

SUBJONCTIF

Présent

que	j'	étudie
que	tu	étudies
qu'	il/elle	étudie
que	nous	étudiions
que	vous	étudiiez
qu'	ils/elles	étudient

Passé

que	j'	aie	étudié
que	tu	aies	étudié
qu'	il/elle	ait	étudié
que	nous	ayons	étudié
que	vous	ayez	étudié
qu'	ils/elles	aient	étudié

INFINITIF

Présent
étudier

Passé
avoir étudié

PARTICIPE

Présent
étudiant

Passé
étudié
ayant étudié

IMPÉRATIF

Présent
étudie
étudions
étudiez

ENVOYER

INDICATIF	**Présent**		**Passé composé**		
	j'	envoie	j'	ai	envoyé
	tu	envoies	tu	as	envoyé
	il/elle	envoie	il/elle	a	envoyé
	nous	envoyons	nous	avons	envoyé
	vous	envoyez	vous	avez	envoyé
	ils/elles	envoient	ils/elles	ont	envoyé

	Imparfait		**Plus-que-parfait**		
	j'	envoyais	j'	avais	envoyé
	tu	envoyais	tu	avais	envoyé
	il/elle	envoyait	il/elle	avait	envoyé
	nous	envoyions	nous	avions	envoyé
	vous	envoyiez	vous	aviez	envoyé
	ils/elles	envoyaient	ils/elles	avaient	envoyé

	Passé simple		**Passé antérieur**		
	j'	envoyai	j'	eus	envoyé
	tu	envoyas	tu	eus	envoyé
	il/elle	envoya	il/elle	eut	envoyé
	nous	envoyâmes	nous	eûmes	envoyé
	vous	envoyâtes	vous	eûtes	envoyé
	ils/elles	envoyèrent	ils/elles	eurent	envoyé

	Futur simple		**Futur antérieur**		
	j'	enverrai	j'	aurai	envoyé
	tu	enverras	tu	auras	envoyé
	il/elle	enverra	il/elle	aura	envoyé
	nous	enverrons	nous	aurons	envoyé
	vous	enverrez	vous	aurez	envoyé
	ils/elles	enverront	ils/elles	auront	envoyé

CONDITIONNEL	**Présent**		**Passé**		
	j'	enverrais	j'	aurais	envoyé
	tu	enverrais	tu	aurais	envoyé
	il/elle	enverrait	il/elle	aurait	envoyé
	nous	enverrions	nous	aurions	envoyé
	vous	enverriez	vous	auriez	envoyé
	ils/elles	enverraient	ils/elles	auraient	envoyé

SUBJONCTIF	**Présent**			**Passé**			
	que	j'	envoie	que	j'	aie	envoyé
	que	tu	envoies	que	tu	aies	envoyé
	qu'	il/elle	envoie	qu'	il/elle	ait	envoyé
	que	nous	envoyions	que	nous	ayons	envoyé
	que	vous	envoyiez	que	vous	ayez	envoyé
	qu'	ils/elles	envoient	qu'	ils/elles	aient	envoyé

INFINITIF

Présent
envoyer
Passé
avoir envoyé

PARTICIPE

Présent
envoyant
Passé
envoyé
ayant envoyé

IMPÉRATIF

Présent
envoie
envoyons
envoyez

S'ARRÊTER

INDICATIF	**Présent**			**Passé composé**			
	je	m'	arrête	je	me	suis	arrêté(e)
	tu	t'	arrêtes	tu	t'	es	arrêté(e)
	il/elle	s'	arrête	il/elle	s'	est	arrêté(e)
	nous	nous	arrêtons	nous	nous	sommes	arrêté(e)s
	vous	vous	arrêtez	vous	vous	êtes	arrêté(e)(s)
	ils/elles	s'	arrêtent	ils/elles	se	sont	arrêté(e)s

	Imparfait			**Plus-que-parfait**			
	je	m'	arrêtais	je	m'	étais	arrêté(e)
	tu	t'	arrêtais	tu	t'	étais	arrêté(e)
	il/elle	s'	arrêtait	il/elle	s'	était	arrêté(e)
	nous	nous	arrêtions	nous	nous	étions	arrêté(e)s
	vous	vous	arrêtiez	vous	vous	étiez	arrêté(e)(s)
	ils/elles	s'	arrêtaient	ils/elles	s'	étaient	arrêté(e)s

	Passé simple			**Passé antérieur**			
	je	m'	arrêtai	je	me	fus	arrêté(e)
	tu	t'	arrêtas	tu	te	fus	arrêté(e)
	il/elle	s'	arrêta	il/elle	se	fut	arrêté(e)
	nous	nous	arrêtâmes	nous	nous	fûmes	arrêté(e)s
	vous	vous	arrêtâtes	vous	vous	fûtes	arrêté(e)(s)
	ils/elles	s'	arrêtèrent	ils/elles	se	furent	arrêté(e)s

	Futur simple			**Futur antérieur**			
	je	m'	arrêterai	je	me	serai	arrêté(e)
	tu	t'	arrêteras	tu	te	seras	arrêté(e)
	il/elle	s'	arrêtera	il/elle	se	sera	arrêté(e)
	nous	nous	arrêterons	nous	nous	serons	arrêté(e)s
	vous	vous	arrêterez	vous	vous	serez	arrêté(e)(s)
	ils/elles	s'	arrêteront	ils/elles	se	seront	arrêté(e)s

CONDITIONNEL	**Présent**			**Passé**			
	je	m'	arrêterais	je	me	serais	arrêté(e)
	tu	t'	arrêterais	tu	te	serais	arrêté(e)
	il/elle	s'	arrêterait	il/elle	se	serait	arrêté(e)
	nous	nous	arrêterions	nous	nous	serions	arrêté(e)s
	vous	vous	arrêteriez	vous	vous	seriez	arrêté(e)(s)
	ils/elles	s'	arrêteraient	ils/elles	se	seraient	arrêté(e)s

SUBJONCTIF	**Présent**				**Passé**			
	que	je	m'	arrête	que	je	me	sois	arrêté(e)
	que	tu	t'	arrêtes	que	tu	te	sois	arrêté(e)
	qu'	il/elle	s'	arrête	qu'	il/elle	se	soit	arrêté(e)
	que	nous	nous	arrêtions	que	nous	nous	soyons	arrêté(e)s
	que	vous	vous	arrêtiez	que	vous	vous	soyez	arrêté(e)(s)
	qu'	ils/elles	s'	arrêtent	qu'	ils/elles	se	soient	arrêté(e)s

INFINITIF

Présent
s'arrêter

Passé
s'être arrêté(e)(s)

PARTICIPE

Présent
s'arrêtant

Passé
arrêté
s'étant arrêté

IMPÉRATIF

arrête-toi
arrêtons-nous
arrêtez-vous

ALLER

INDICATIF	**Présent**		**Passé composé**		
	je	vais	je	suis	allé(e)
	tu	vas	tu	es	allé(e)
	il/elle	va	il/elle	est	allé(e)
	nous	allons	nous	sommes	allé(e)s
	vous	allez	vous	êtes	allé(e)(s)
	ils/elles	vont	ils/elles	sont	allé(e)s

	Imparfait		**Plus-que-parfait**		
	j'	allais	j'	étais	allé(e)
	tu	allais	tu	étais	allé(e)
	il/elle	allait	il/elle	était	allé(e)
	nous	allions	nous	étions	allé(e)s
	vous	alliez	vous	étiez	allé(e)(s)
	ils/elles	allaient	ils/elles	étaient	allé(e)s

	Passé simple		**Passé antérieur**		
	j'	allai	je	fus	allé(e)
	tu	allas	tu	fus	allé(e)
	il/elle	alla	il/elle	fut	allé(e)
	nous	allâmes	nous	fûmes	allé(e)s
	vous	allâtes	vous	fûtes	allé(e)(s)
	ils/elles	allèrent	ils/elles	furent	allé(e)s

	Futur simple		**Futur antérieur**		
	j'	irai	je	serai	allé(e)
	tu	iras	tu	seras	allé(e)
	il/elle	ira	il/elle	sera	allé(e)
	nous	irons	nous	serons	allé(e)s
	vous	irez	vous	serez	allé(e)(s)
	ils/elles	iront	ils/elles	seront	allé(e)s

CONDITIONNEL	**Présent**		**Passé**		
	j'	irais	j'	serais	allé(e)
	tu	irais	tu	serais	allé(e)
	il/elle	irait	il/elle	serait	allé(e)
	nous	irions	nous	serions	allé(e)s
	vous	iriez	vous	seriez	allé(e)(s)
	ils/elles	iraient	ils/elles	seraient	allé(e)s

SUBJONCTIF	**Présent**			**Passé**			
	que	j'	aille	que	je	sois	allé(e)
	que	tu	ailles	que	tu	sois	allé(e)
	qu'	il/elle	aille	qu'	il/elle	soit	allé(e)
	que	nous	allions	que	nous	soyons	allé(e)s
	que	vous	alliez	que	vous	soyez	allé(e)(s)
	qu'	ils/elles	aillent	qu'	ils/elles	soient	allé(e)s

INFINITIF

Présent
aller

Passé
être allé

PARTICIPE

Présent
allant

Passé
allé
étant allé

IMPÉRATIF

Présent
va
allons
allez

VENIR

INDICATIF

Présent

je	viens
tu	viens
il/elle	vient
nous	venons
vous	venez
ils/elles	viennent

Passé composé

je	suis	venu(e)
tu	es	venu(e)
il/elle	est	venu(e)
nous	sommes	venu(e)s
vous	êtes	venu(e)(s)
ils/elles	sont	venu(e)s

Imparfait

je	venais
tu	venais
il/elle	venait
nous	venions
vous	veniez
ils/elles	venaient

Plus-que-parfait

j'	étais	venu(e)
tu	étais	venu(e)
il/elle	était	venu(e)
nous	étions	venu(e)s
vous	étiez	venu(e)(s)
ils/elles	étaient	venu(e)s

Passé simple

je	vins
tu	vins
il/elle	vint
nous	vînmes
vous	vîntes
ils/elles	vinrent

Passé antérieur

je	fus	venu(e)
tu	fus	venu(e)
il/elle	fut	venu(e)
nous	fûmes	venu(e)s
vous	fûtes	venu(e)(s)
ils/elles	furent	venu(e)s

Futur simple

je	viendrai
tu	viendras
il/elle	viendra
nous	viendrons
vous	viendrez
ils/elles	viendront

Futur antérieur

je	serai	venu(e)
tu	seras	venu(e)
il/elle	sera	venu(e)
nous	serons	venu(e)s
vous	serez	venu(e)(s)
ils/elles	seront	venu(e)s

CONDITIONNEL

Présent

je	viendrais
tu	viendrais
il/elle	viendrait
nous	viendrions
vous	viendriez
ils/elles	viendraient

Passé

je	serais	venu(e)
tu	serais	venu(e)
il/elle	serait	venu(e)
nous	serions	venu(e)s
vous	seriez	venu(e)(s)
ils/elles	seraient	venu(e)s

SUBJONCTIF

Présent

que	je	vienne
que	tu	viennes
qu'	il/elle	vienne
que	nous	venions
que	vous	veniez
qu'	ils/elles	viennent

Passé

que	je	sois	venu(e)
que	tu	sois	venu(e)
qu'	il/elle	soit	venu(e)
que	nous	soyons	venu(e)s
que	vous	soyez	venu(e)(s)
qu'	ils/elles	soient	venu(e)s

INFINITIF

Présent
venir

Passé
être venu

PARTICIPE

Présent
venant

Passé
venu
étant venu

IMPÉRATIF

Présent
viens
venons
venez

FAIRE

INDICATIF	**Présent**		**Passé composé**		
	je	fais	j'	ai	fait
	tu	fais	tu	as	fait
	il/elle	fait	il/elle	a	fait
	nous	faisons	nous	avons	fait
	vous	faites	vous	avez	fait
	ils/elles	font	ils/elles	ont	fait

	Imparfait		**Plus-que-parfait**		
	je	faisais	j'	avais	fait
	tu	faisais	tu	avais	fait
	il/elle	faisait	il/elle	avait	fait
	nous	faisions	nous	avions	fait
	vous	faisiez	vous	aviez	fait
	ils/elles	faisaient	ils/elles	avaient	fait

	Passé simple		**Passé antérieur**		
	je	fis	j'	eus	fait
	tu	fis	tu	eus	fait
	il/elle	fit	il/elle	eut	fait
	nous	fîmes	nous	eûmes	fait
	vous	fîtes	vous	eûtes	fait
	ils/elles	firent	ils/elles	eurent	fait

	Futur simple		**Futur antérieur**		
	je	ferai	j'	aurai	fait
	tu	feras	tu	auras	fait
	il/elle	fera	il/elle	aura	fait
	nous	ferons	nous	aurons	fait
	vous	ferez	vous	aurez	fait
	ils/elles	feront	ils/elles	auront	fait

CONDITIONNEL	**Présent**		**Passé**		
	je	ferais	j'	aurais	fait
	tu	ferais	tu	aurais	fait
	il/elle	ferait	il/elle	aurait	fait
	nous	ferions	nous	aurions	fait
	vous	feriez	vous	auriez	fait
	ils/elles	feraient	ils/elles	auraient	fait

SUBJONCTIF	**Présent**			**Passé**			
	que	je	fasse	que	j'	aie	fait
	que	tu	fasses	que	tu	aies	fait
	qu'	il/elle	fasse	qu'	il/elle	ait	fait
	que	nous	fassions	que	nous	ayons	fait
	que	vous	fassiez	que	vous	ayez	fait
	qu'	ils/elles	fassent	qu'	ils/elles	aient	fait

INFINITIF

Présent
faire

Passé
avoir fait

PARTICIPE

Présent
faisant

Passé
fait
ayant fait

IMPÉRATIF

Présent
fais
faisons
faites

VOULOIR

INDICATIF	**Présent**		**Passé composé**		
	je	veux	j'	ai	voulu
	tu	veux	tu	as	voulu
	il/elle	veut	il/elle	a	voulu
	nous	voulons	nous	avons	voulu
	vous	voulez	vous	avez	voulu
	ils/elles	veulent	ils/elles	ont	voulu

	Imparfait		**Plus-que-parfait**		
	je	voulais	j'	avais	voulu
	tu	voulais	tu	avais	voulu
	il/elle	voulait	il/elle	avait	voulu
	nous	voulions	nous	avions	voulu
	vous	vouliez	vous	aviez	voulu
	ils/elles	voulaient	ils/elles	avaient	voulu

	Passé simple		**Passé antérieur**		
	je	voulus	j'	eus	voulu
	tu	voulus	tu	eus	voulu
	il/elle	voulut	il/elle	eut	voulu
	nous	voulûmes	nous	eûmes	voulu
	vous	voulûtes	vous	eûtes	voulu
	ils/elles	voulurent	ils/elles	eurent	voulu

	Futur simple		**Futur antérieur**		
	je	voudrai	j'	aurai	voulu
	tu	voudras	tu	auras	voulu
	il/elle	voudra	il/elle	aura	voulu
	nous	voudrons	nous	aurons	voulu
	vous	voudrez	vous	aurez	voulu
	ils/elles	voudront	ils/elles	auront	voulu

CONDITIONNEL	**Présent**		**Passé**		
	je	voudrais	j'	aurais	voulu
	tu	voudrais	tu	aurais	voulu
	il/elle	voudrait	il/elle	aurait	voulu
	nous	voudrions	nous	aurions	voulu
	vous	voudriez	vous	auriez	voulu
	ils/elles	voudraient	ils/elles	auraient	voulu

SUBJONCTIF	**Présent**			**Passé**			
	que	je	veuille	que	j'	aie	voulu
	que	tu	veuilles	que	tu	aies	voulu
	qu'	il/elle	veuille	qu'	il/elle	ait	voulu
	que	nous	voulions	que	nous	ayons	voulu
	que	vous	vouliez	que	vous	ayez	voulu
	qu'	ils/elles	veuillent	qu'	ils/elles	aient	voulu

INFINITIF

Présent
vouloir

Passé
avoir voulu

PARTICIPE

Présent
voulant

Passé
voulu
ayant voulu

IMPÉRATIF

Présent
veux (veuille)
voulons
voulez (veuillez)

POUVOIR

INDICATIF

Présent

je	peux
tu	peux
il/elle	peut
nous	pouvons
vous	pouvez
ils/elles	peuvent

Passé composé

j'	ai	pu
tu	as	pu
il/elle	a	pu
nous	avons	pu
vous	avez	pu
ils/elles	ont	pu

Imparfait

je	pouvais
tu	pouvais
il/elle	pouvait
nous	pouvions
vous	pouviez
ils/elles	pouvaient

Plus-que-parfait

j'	avais	pu
tu	avais	pu
il/elle	avait	pu
nous	avions	pu
vous	aviez	pu
ils/elles	avaient	pu

Passé simple

je	pus
tu	pus
il/elle	put
nous	pûmes
vous	pûtes
ils/elles	purent

Passé antérieur

j'	eus	pu
tu	eus	pu
il/elle	eut	pu
nous	eûmes	pu
vous	eûtes	pu
ils/elles	eurent	pu

Futur simple

je	pourrai
tu	pourras
il/elle	pourra
nous	pourrons
vous	pourrez
ils/elles	pourront

Futur antérieur

j'	aurai	pu
tu	auras	pu
il/elle	aura	pu
nous	aurons	pu
vous	aurez	pu
ils/elles	auront	pu

CONDITIONNEL

Présent

je	pourrais
tu	pourrais
il/elle	pourrait
nous	pourrions
vous	pourriez
ils/elles	pourraient

Passé

j'	aurais	pu
tu	aurais	pu
il/elle	aurait	pu
nous	aurions	pu
vous	auriez	pu
ils/elles	auraient	pu

SUBJONCTIF

Présent

que	je	puisse
que	tu	puisses
qu'	il/elle	puisse
que	nous	puissions
que	vous	puissiez
qu'	ils/elles	puissent

Passé

que	j'	aie	pu
que	tu	aies	pu
qu'	il/elle	ait	pu
que	nous	ayons	pu
que	vous	ayez	pu
qu'	ils/elles	aient	pu

INFINITIF

Présent
pouvoir

Passé
avoir pu

PARTICIPE

Présent
pouvant

Passé
pu
ayant pu

IMPÉRATIF

pas d'impératif

SAVOIR

INDICATIF

Présent

je	sais
tu	sais
il/elle	sait
nous	savons
vous	savez
ils/elles	savent

Passé composé

j'	ai	su
tu	as	su
il/elle	a	su
nous	avons	su
vous	avez	su
ils/elles	ont	su

Imparfait

je	savais
tu	savais
il/elle	savait
nous	savions
vous	saviez
ils/elles	savaient

Plus-que-parfait

j'	avais	su
tu	avais	su
il/elle	avait	su
nous	avions	su
vous	aviez	su
ils/elles	avaient	su

Passé simple

je	sus
tu	sus
il/elle	sut
nous	sûmes
vous	sûtes
ils/elles	surent

Passé antérieur

j'	eus	su
tu	eus	su
il/elle	eut	su
nous	eûmes	su
vous	eûtes	su
ils/elles	eurent	su

Futur simple

je	saurai
tu	sauras
il/elle	saura
nous	saurons
vous	saurez
ils/elles	sauront

Futur antérieur

j'	aurai	su
tu	auras	su
il/elle	aura	su
nous	aurons	su
vous	aurez	su
ils/elles	auront	su

CONDITIONNEL

Présent

je	saurais
tu	saurais
il/elle	saurait
nous	saurions
vous	sauriez
ils/elles	sauraient

Passé

j'	aurais	su
tu	aurais	su
il/elle	aurait	su
nous	aurions	su
vous	auriez	su
ils/elles	auraient	su

SUBJONCTIF

Présent

que	je	sache
que	tu	saches
qu'	il/elle	sache
que	nous	sachions
que	vous	sachiez
qu'	ils/elles	sachent

Passé

que	j'	aie	su
que	tu	aies	su
qu'	il/elle	ait	su
que	nous	ayons	su
que	vous	ayez	su
qu'	ils/elles	aient	su

INFINITIF

Présent
savoir

Passé
avoir su

PARTICIPE

Présent
sachant

Passé
su
ayant su

IMPÉRATIF

sache
sachons
sachez

DEVOIR

INDICATIF

Présent

je	dois
tu	dois
il/elle	doit
nous	devons
vous	devez
ils/elles	doivent

Passé composé

j'	ai	dû
tu	as	dû
il/elle	a	dû
nous	avons	dû
vous	avez	dû
ils/elles	ont	dû

Imparfait

je	devais
tu	devais
il/elle	devait
nous	devions
vous	deviez
ils/elles	devaient

Plus-que-parfait

j'	avais	dû
tu	avais	dû
il/elle	avait	dû
nous	avions	dû
vous	aviez	dû
ils/elles	avaient	dû

Passé simple

je	dus
tu	dus
il/elle	dut
nous	dûmes
vous	dûtes
ils/elles	durent

Passé antérieur

j'	eus	dû
tu	eus	dû
il/elle	eut	dû
nous	eûmes	dû
vous	eûtes	dû
ils/elles	eurent	dû

Futur simple

je	devrai
tu	devras
il/elle	devra
nous	devrons
vous	devrez
ils/elles	devront

Futur antérieur

j'	aurai	dû
tu	auras	dû
il/elle	aura	dû
nous	aurons	dû
vous	aurez	dû
ils/elles	auront	dû

CONDITIONNEL

Présent

je	devrais
tu	devrais
il/elle	devrait
nous	devrions
vous	devriez
ils/elles	devraient

Passé

j'	aurais	dû
tu	aurais	dû
il/elle	aurait	dû
nous	aurions	dû
vous	auriez	dû
ils/elles	auraient	dû

SUBJONCTIF

Présent

que	je	doive
que	tu	doives
qu'	il/elle	doive
que	nous	devions
que	vous	deviez
qu'	ils/elles	doivent

Passé

que	j'	aie	dû
que	tu	aies	dû
qu'	il/elle	ait	dû
que	nous	ayons	dû
que	vous	ayez	dû
qu'	ils/elles	aient	dû

INFINITIF

Présent
devoir

Passé
avoir dû

PARTICIPE

Présent
devant

Passé
dû
ayant dû

IMPÉRATIF

dois
devons
devez

CHOISIR

INDICATIF

Présent

je	choisis
tu	choisis
il/elle	choisit
nous	choisissons
vous	choisissez
ils/elles	choisissent

Passé composé

j'	ai	choisi
tu	as	choisi
il/elle	a	choisi
nous	avons	choisi
vous	avez	choisi
ils/elles	ont	choisi

Imparfait

je	choisissais
tu	choisissais
il/elle	choisissait
nous	choisissions
vous	choisissiez
ils/elles	choisissaient

Plus-que-parfait

j'	avais	choisi
tu	avais	choisi
il/elle	avait	choisi
nous	avions	choisi
vous	aviez	choisi
ils/elles	avaient	choisi

Passé simple

je	choisis
tu	choisis
il/elle	choisit
nous	choisîmes
vous	choisîtes
ils/elles	choisirent

Passé antérieur

j'	eus	choisi
tu	eus	choisi
il/elle	eut	choisi
nous	eûmes	choisi
vous	eûtes	choisi
ils/elles	eurent	choisi

Futur simple

je	choisirai
tu	choisiras
il/elle	choisira
nous	choisirons
vous	choisirez
ils/elles	choisiront

Futur antérieur

j'	aurai	choisi
tu	auras	choisi
il/elle	aura	choisi
nous	aurons	choisi
vous	aurez	choisi
ils/elles	auront	choisi

CONDITIONNEL

Présent

je	choisirais
tu	choisirais
il/elle	choisirait
nous	choisirions
vous	choisiriez
ils/elles	choisiraient

Passé

j'	aurais	choisi
tu	aurais	choisi
il/elle	aurait	choisi
nous	aurions	choisi
vous	auriez	choisi
ils/elles	auraient	choisi

SUBJONCTIF

Présent

que	je	choisisse
que	tu	choisisses
qu'	il/elle	choisisse
que	nous	choisissions
que	vous	choisissiez
qu'	ils/elles	choisissent

Passé

que	j'	aie	choisi
que	tu	aies	choisi
qu'	il/elle	ait	choisi
que	nous	ayons	choisi
que	vous	ayez	choisi
qu'	ils/elles	aient	choisi

INFINITIF

Présent
choisir

Passé
avoir choisi

PARTICIPE

Présent
choisissant

Passé
choisi
ayant choisi

IMPÉRATIF

choisis
choisissons
choisissez

OUVRIR

INDICATIF

Présent

j'	ouvre
tu	ouvres
il/elle	ouvre
nous	ouvrons
vous	ouvrez
ils/elles	ouvrent

Passé composé

j'	ai	ouvert
tu	as	ouvert
il/elle	a	ouvert
nous	avons	ouvert
vous	avez	ouvert
ils/elles	ont	ouvert

Imparfait

j'	ouvrais
tu	ouvrais
il/elle	ouvrait
nous	ouvrions
vous	ouvriez
ils/elles	ouvraient

Plus-que-parfait

j'	avais	ouvert
tu	avais	ouvert
il/elle	avait	ouvert
nous	avions	ouvert
vous	aviez	ouvert
ils/elles	avaient	ouvert

Passé simple

j'	ouvris
tu	ouvris
il/elle	ouvrit
nous	ouvrîmes
vous	ouvrîtes
ils/elles	ouvrirent

Passé antérieur

j'	eus	ouvert
tu	eus	ouvert
il/elle	eut	ouvert
nous	eûmes	ouvert
vous	eûtes	ouvert
ils/elles	eurent	ouvert

Futur simple

je	ouvrirai
tu	ouvriras
il/elle	ouvrira
nous	ouvrirons
vous	ouvrirez
ils/elles	ouvriront

Futur antérieur

j'	aurai	ouvert
tu	auras	ouvert
il/elle	aura	ouvert
nous	aurons	ouvert
vous	aurez	ouvert
ils/elles	auront	ouvert

CONDITIONNEL

Présent

j'	ouvrirais
tu	ouvrirais
il/elle	ouvrirait
nous	ouvririons
vous	ouvririez
ils/elles	ouvriraient

Passé

j'	aurais	ouvert
tu	aurais	ouvert
il/elle	aurait	ouvert
nous	aurions	ouvert
vous	auriez	ouvert
ils/elles	auraient	ouvert

SUBJONCTIF

Présent

que	j'	ouvre
que	tu	ouvres
qu'	il/elle	ouvre
que	nous	ouvrions
que	vous	ouvriez
qu'	ils/elles	ouvrent

Passé

que	j'	aie	ouvert
que	tu	aies	ouvert
qu'	il/elle	ait	ouvert
que	nous	ayons	ouvert
que	vous	ayez	ouvert
qu'	ils/elles	aient	ouvert

INFINITIF

Présent
ouvrir

Passé
avoir ouvert

PARTICIPE

Présent
ouvrant

Passé
ouvert
ayant ouvert

IMPÉRATIF

ouvre
ouvrons
ouvrez

PARTIR

Présent

je	pars
tu	pars
il/elle	part
nous	partons
vous	partez
ils/elles	partent

Passé composé

je	suis	parti(e)
tu	es	parti(e)
il/elle	est	parti(e)
nous	sommes	parti(e)s
vous	êtes	parti(e)(s)
ils/elles	sont	parti(e)s

Imparfait

je	partais
tu	partais
il/elle	partait
nous	partions
vous	partiez
ils/elles	partaient

Plus-que-parfait

j'	étais	parti(e)
tu	étais	parti(e)
il/elle	était	parti(e)
nous	étions	parti(e)s
vous	étiez	parti(e)(s)
ils/elles	étaient	parti(e)s

Passé simple

je	partis
tu	partis
il/elle	partit
nous	partîmes
vous	partîtes
ils/elles	partirent

Passé antérieur

je	fus	parti(e)
tu	fus	parti(e)
il/elle	fut	parti(e)
nous	fûmes	parti(e)s
vous	fûtes	parti(e)(s)
ils/elles	furent	parti(e)s

Futur simple

je	partirai
tu	partiras
il/elle	partira
nous	partirons
vous	partirez
ils/elles	partiront

Futur antérieur

je	serai	parti(e)
tu	seras	parti(e)
il/elle	sera	parti(e)
nous	serons	parti(e)s
vous	serez	parti(e)(s)
ils/elles	seront	parti(e)s

CONDITIONNEL **Présent**

je	partirais
tu	partirais
il/elle	partirait
nous	partirions
vous	partiriez
ils/elles	partiraient

Passé

je	serais	parti(e)
tu	serais	parti(e)
il/elle	serait	parti(e)
nous	serions	parti(e)s
vous	seriez	parti(e)(s)
ils/elles	seraient	parti(e)s

SUBJONCTIF **Présent**

que	je	parte
que	tu	partes
qu'	il/elle	parte
que	nous	partions
que	vous	partiez
qu'	ils/elles	partent

Passé

que	je	sois	parti(e)
que	tu	sois	parti(e)
qu'	il/elle	soit	parti(e)
que	nous	soyons	parti(e)s
que	vous	soyez	parti(e)(s)
qu'	ils/elles	soient	parti(e)s

INFINITIF

Présent
partir

Passé
être parti

PARTICIPE

Présent
partant

Passé
parti
étant parti

IMPÉRATIF

Présent
pars
partons
partez

DIRE

	Présent			**Passé composé**		
je	dis		j'	ai	dit	
tu	dis		tu	as	dit	
il/elle	dit		il/elle	a	dit	
nous	disons		nous	avons	dit	
vous	dites		vous	avez	dit	
ils/elles	disent		ils/elles	ont	dit	

	Imparfait			**Plus-que-parfait**		
je	disais		j'	avais	dit	
tu	disais		tu	avais	dit	
il/elle	disait		il/elle	avait	dit	
nous	disions		nous	avions	dit	
vous	disiez		vous	aviez	dit	
ils/elles	disaient		ils/elles	avaient	dit	

	Passé simple			**Passé antérieur**		
je	dis		j'	eus	dit	
tu	dis		tu	eus	dit	
il/elle	dit		il/elle	eut	dit	
nous	dîmes		nous	eûmes	dit	
vous	dîtes		vous	eûtes	dit	
ils/elles	dirent		ils/elles	eurent	dit	

	Futur simple			**Futur antérieur**		
je	dirai		j'	aurai	dit	
tu	diras		tu	auras	dit	
il/elle	dira		il/elle	aura	dit	
nous	dirons		nous	aurons	dit	
vous	direz		vous	aurez	dit	
ils/elles	diront		ils/elles	auront	dit	

CONDITIONNEL

	Présent			**Passé**		
je	dirais		j'	aurais	dit	
tu	dirais		tu	aurais	dit	
il/elle	dirait		il/elle	aurait	dit	
nous	dirions		nous	aurions	dit	
vous	diriez		vous	auriez	dit	
ils/elles	diraient		ils/elles	auraient	dit	

SUBJONCTIF

		Présent				**Passé**	
que	je	dise		que	j'	aie	dit
que	tu	dises		que	tu	aies	dit
qu'	il/elle	dise		qu'	il/elle	ait	dit
que	nous	disions		que	nous	ayons	dit
que	vous	disiez		que	vous	ayez	dit
qu'	ils/elles	disent		qu'	ils/elles	aient	dit

INFINITIF

Présent
dire
Passé
avoir dit

PARTICIPE

Présent
disant
Passé
dit
ayant dit

IMPÉRATIF

Présent
dis
disons
dites

ÉCRIRE

INDICATIF

Présent

j'	écris
tu	écris
il/elle	écrit
nous	écrivons
vous	écrivez
ils/elles	écrivent

Passé composé

j'	ai	écrit
tu	as	écrit
il/elle	a	écrit
nous	avons	écrit
vous	avez	écrit
ils/elles	ont	écrit

Imparfait

j'	écrivais
tu	écrivais
il/elle	écrivait
nous	écrivions
vous	écriviez
ils/elles	écrivaient

Plus-que-parfait

j'	avais	écrit
tu	avais	écrit
il/elle	avait	écrit
nous	avions	écrit
vous	aviez	écrit
ils/elles	avaient	écrit

Passé simple

j'	écrivis
tu	écrivis
il/elle	écrivit
nous	écrivîmes
vous	écrivîtes
ils/elles	écrivirent

Passé antérieur

j'	eus	écrit
tu	eus	écrit
il/elle	eut	écrit
nous	eûmes	écrit
vous	eûtes	écrit
ils/elles	eurent	écrit

Futur simple

j'	écrirai
tu	écriras
il/elle	écrira
nous	écrirons
vous	écrirez
ils/elles	écriront

Futur antérieur

j'	aurai	écrit
tu	auras	écrit
il/elle	aura	écrit
nous	aurons	écrit
vous	aurez	écrit
ils/elles	auront	écrit

CONDITIONNEL

Présent

j'	écrirais
tu	écrirais
il/elle	écrirait
nous	écririons
vous	écririez
ils/elles	écriraient

Passé

j'	aurais	écrit
tu	aurais	écrit
il/elle	aurait	écrit
nous	aurions	écrit
vous	auriez	écrit
ils/elles	auraient	écrit

SUBJONCTIF

Présent

que	j'	écrive
que	tu	écrives
qu'	il/elle	écrive
que	nous	écrivions
que	vous	écriviez
qu'	ils/elles	écrivent

Passé

que	j'	aie	écrit
que	tu	aies	écrit
qu'	il/elle	ait	écrit
que	nous	ayons	écrit
que	vous	ayez	écrit
qu'	ils/elles	aient	écrit

INFINITIF

Présent
écrire

Passé
avoir écrit

PARTICIPE

Présent
écrivant

Passé
écrit
ayant écrit

IMPÉRATIF

Présent
écris
écrivons
écrivez

LIRE

INDICATIF	Présent		Passé composé		
	je	lis	j'	ai	lu
	tu	lis	tu	as	lu
	il/elle	lit	il/elle	a	lu
	nous	lisons	nous	avons	lu
	vous	lisez	vous	avez	lu
	ils/elles	lisent	ils/elles	ont	lu

	Imparfait		Plus-que-parfait		
	je	lisais	j'	avais	lu
	tu	lisais	tu	avais	lu
	il/elle	lisait	il/elle	avait	lu
	nous	lisions	nous	avions	lu
	vous	lisiez	vous	aviez	lu
	ils/elles	lisaient	ils/elles	avaient	lu

	Passé simple		Passé antérieur		
	je	lus	j'	eus	lu
	tu	lus	tu	eus	lu
	il/elle	lut	il/elle	eut	lu
	nous	lûmes	nous	eûmes	lu
	vous	lûtes	vous	eûtes	lu
	ils/elles	lurent	ils/elles	eurent	lu

	Futur simple		Futur antérieur		
	je	lirai	j'	aurai	lu
	tu	liras	tu	auras	lu
	il/elle	lira	il/elle	aura	lu
	nous	lirons	nous	aurons	lu
	vous	lirez	vous	aurez	lu
	ils/elles	liront	ils/elles	auront	lu

CONDITIONNEL	Présent		Passé		
	je	lirais	j'	aurais	lu
	tu	lirais	tu	aurais	lu
	il/elle	lirait	il/elle	aurait	lu
	nous	lirions	nous	aurions	lu
	vous	liriez	vous	auriez	lu
	ils/elles	liraient	ils/elles	auraient	lu

SUBJONCTIF	Présent			Passé			
	que	je	lise	que	j'	aie	lu
	que	tu	lises	que	tu	aies	lu
	qu'	il/elle	lise	qu'	il/elle	ait	lu
	que	nous	lisions	que	nous	ayons	lu
	que	vous	lisiez	que	vous	ayez	lu
	qu'	ils/elles	lisent	qu'	ils/elles	aient	lu

INFINITIF

Présent
lire

Passé
avoir lu

PARTICIPE

Présent
lisant

Passé
lu
ayant lu

IMPÉRATIF

Présent
lis
lisons
lisez

PRENDRE

INDICATIF

Présent

je	prends
tu	prends
il/elle	prend
nous	prenons
vous	prenez
ils/elles	prennent

Passé composé

j'	ai	pris
tu	as	pris
il/elle	a	pris
nous	avons	pris
vous	avez	pris
ils/elles	ont	pris

Imparfait

je	prenais
tu	prenais
il/elle	prenait
nous	prenions
vous	preniez
ils/elles	prenaient

Plus-que-parfait

j'	avais	pris
tu	avais	pris
il/elle	avait	pris
nous	avions	pris
vous	aviez	pris
ils/elles	avaient	pris

Passé simple

je	pris
tu	pris
il/elle	prit
nous	prîmes
vous	prîtes
ils/elles	prirent

Passé antérieur

j'	eus	pris
tu	eus	pris
il/elle	eut	pris
nous	eûmes	pris
vous	eûtes	pris
ils/elles	eurent	pris

Futur simple

je	prendrai
tu	prendras
il/elle	prendra
nous	prendrons
vous	prendrez
ils/elles	prendront

Futur antérieur

j'	aurai	pris
tu	auras	pris
il/elle	aura	pris
nous	aurons	pris
vous	aurez	pris
ils/elles	auront	pris

CONDITIONNEL

Présent

je	prendrais
tu	prendrais
il/elle	prendrait
nous	prendrions
vous	prendriez
ils/elles	prendraient

Passé

j'	aurais	pris
tu	aurais	pris
il/elle	aurait	pris
nous	aurions	pris
vous	auriez	pris
ils/elles	auraient	pris

SUBJONCTIF

Présent

que	je	prenne
que	tu	prennes
qu'	il/elle	prenne
que	nous	prenions
que	vous	preniez
qu'	ils/elles	prennent

Passé

que	j'	aie	pris
que	tu	aies	pris
qu'	il/elle	ait	pris
que	nous	ayons	pris
que	vous	ayez	pris
qu'	ils/elles	aient	pris

INFINITIF

Présent
prendre

Passé
avoir pris

PARTICIPE

Présent
prenant

Passé
pris
ayant pris

IMPÉRATIF

Présent
prends
prenons
prenez

ENTENDRE

Présent

j'	entends
tu	entends
il/elle	entend
nous	entendons
vous	entendez
ils/elles	entendent

Passé composé

j'	ai	entendu
tu	as	entendu
il/elle	a	entendu
nous	avons	entendu
vous	avez	entendu
ils/elles	ont	entendu

Imparfait

j'	entendais
tu	entendais
il/elle	entendait
nous	entendions
vous	entendiez
ils/elles	entendaient

Plus-que-parfait

j'	avais	entendu
tu	avais	entendu
il/elle	avait	entendu
nous	avions	entendu
vous	aviez	entendu
ils/elles	avaient	entendu

Passé simple

j'	entendis
tu	entendis
il/elle	entendit
nous	entendîmes
vous	entendîtes
ils/elles	entendirent

Passé antérieur

j'	eus	entendu
tu	eus	entendu
il/elle	eut	entendu
nous	eûmes	entendu
vous	eûtes	entendu
ils/elles	eurent	entendu

Futur simple

j'	entendrai
tu	entendras
il/elle	entendra
nous	entendrons
vous	entendrez
ils/elles	entendront

Futur antérieur

j'	aurai	entendu
tu	auras	entendu
il/elle	aura	entendu
nous	aurons	entendu
vous	aurez	entendu
ils/elles	auront	entendu

Présent

j'	entendrais
tu	entendrais
il/elle	entendrait
nous	entendrions
vous	entendriez
ils/elles	entendraient

Passé

j'	aurais	entendu
tu	aurais	entendu
il/elle	aurait	entendu
nous	aurions	entendu
vous	auriez	entendu
ils/elles	auraient	entendu

Présent

que	j'	entende
que	tu	entendes
qu'	il/elle	entende
que	nous	entendions
que	vous	entendiez
qu'	ils/elles	entendent

Passé

que	j'	aie	entendu
que	tu	aies	entendu
qu'	il/elle	ait	entendu
que	nous	ayons	entendu
que	vous	ayez	entendu
qu'	ils/elles	aient	entendu

Présent
entendre

Passé
avoir entendu

Présent
entendant

Passé
entendu
ayant entendu

Présent
entends
entendons
entendez

CROIRE

Présent		**Passé composé**		
je	crois	j'	ai	cru
tu	crois	tu	as	cru
il/elle	croit	il/elle	a	cru
nous	croyons	nous	avons	cru
vous	croyez	vous	avez	cru
ils/elles	croient	ils/elles	ont	cru

Imparfait		**Plus-que-parfait**		
je	croyais	j'	avais	cru
tu	croyais	tu	avais	cru
il/elle	croyait	il/elle	avait	cru
nous	croyions	nous	avions	cru
vous	croyiez	vous	aviez	cru
ils/elles	croyaient	ils/elles	avaient	cru

Passé simple		**Passé antérieur**		
je	crus	j'	eus	cru
tu	crus	tu	eus	cru
il/elle	crut	il/elle	eut	cru
nous	crûmes	nous	eûmes	cru
vous	crûtes	vous	eûtes	cru
ils/elles	crurent	ils/elles	eurent	cru

Futur simple		**Futur antérieur**		
je	croirai	j'	aurai	cru
tu	croiras	tu	auras	cru
il/elle	croira	il/elle	aura	cru
nous	croirons	nous	aurons	cru
vous	croirez	vous	aurez	cru
ils/elles	croiront	ils/elles	auront	cru

CONDITIONNEL

Présent		**Passé**		
je	croirais	j'	aurais	cru
tu	croirais	tu	aurais	cru
il/elle	croirait	il/elle	aurait	cru
nous	croirions	nous	aurions	cru
vous	croiriez	vous	auriez	cru
ils/elles	croiraient	ils/elles	auraient	cru

SUBJONCTIF

Présent			**Passé**			
que	je	croie	que	j'	aie	cru
que	tu	croies	que	tu	aies	cru
qu'	il/elle	croie	qu'	il/elle	ait	cru
que	nous	croyions	que	nous	ayons	cru
que	vous	croyiez	que	vous	ayez	cru
qu'	ils/elles	croient	qu'	ils/elles	aient	cru

INFINITIF

Présent
croire
Passé
avoir cru

PARTICIPE

Présent
croyant
Passé
cru
ayant cru

IMPÉRATIF

Présent
crois
croyons
croyez

BOIRE

INDICATIF	Présent		Passé composé		
	je	bois	j'	ai	bu
	tu	bois	tu	as	bu
	il/elle	boit	il/elle	a	bu
	nous	buvons	nous	avons	bu
	vous	buvez	vous	avez	bu
	ils/elles	boivent	ils/elles	ont	bu

	Imparfait		Plus-que-parfait		
	je	buvais	j'	avais	bu
	tu	buvais	tu	avais	bu
	il/elle	buvait	il/elle	avait	bu
	nous	buvions	nous	avions	bu
	vous	buviez	vous	aviez	bu
	ils/elles	buvaient	ils/elles	avaient	bu

	Passé simple		Passé antérieur		
	je	bus	j'	eus	bu
	tu	bus	tu	eus	bu
	il/elle	but	il/elle	eut	bu
	nous	bûmes	nous	eûmes	bu
	vous	bûtes	vous	eûtes	bu
	ils/elles	burent	ils/elles	eurent	bu

	Futur simple		Futur antérieur		
	je	boirai	j'	aurai	bu
	tu	boiras	tu	auras	bu
	il/elle	boira	il/elle	aura	bu
	nous	boirons	nous	aurons	bu
	vous	boirez	vous	aurez	bu
	ils/elles	boiront	ils/elles	auront	bu

CONDITIONNEL	Présent		Passé		
	je	boirais	j'	aurais	bu
	tu	boirais	tu	aurais	bu
	il/elle	boirait	il/elle	aurait	bu
	nous	boirions	nous	aurions	bu
	vous	boiriez	vous	auriez	bu
	ils/elles	boiraient	ils/elles	auraient	bu

SUBJONCTIF	Présent			Passé			
	que	je	boive	que	j'	aie	bu
	que	tu	boives	que	tu	aies	bu
	qu'	il/elle	boive	qu'	il/elle	ait	bu
	que	nous	buvions	que	nous	ayons	bu
	que	vous	buviez	que	vous	ayez	bu
	qu'	ils/elles	boivent	qu'	ils/elles	aient	bu

INFINITIF

Présent
boire

Passé
avoir bu

PARTICIPE

Présent
buvant

Passé
bu
ayant bu

IMPÉRATIF

Présent
bois
buvons
buvez

VIVRE

INDICATIF	Présent		Passé composé		
	je	vis	j'	ai	vécu
	tu	vis	tu	as	vécu
	il/elle	vit	il/elle	a	vécu
	nous	vivons	nous	avons	vécu
	vous	vivez	vous	avez	vécu
	ils/elles	vivent	ils/elles	ont	vécu

	Imparfait		Plus-que-parfait		
	je	vivais	j'	avais	vécu
	tu	vivais	tu	avais	vécu
	il/elle	vivait	il/elle	avait	vécu
	nous	vivions	nous	avions	vécu
	vous	viviez	vous	aviez	vécu
	ils/elles	vivaient	ils/elles	avaient	vécu

	Passé simple		Passé antérieur		
	je	vécus	j'	eus	vécu
	tu	vécus	tu	eus	vécu
	il/elle	vécut	il/elle	eut	vécu
	nous	vécûmes	nous	eûmes	vécu
	vous	vécûtes	vous	eûtes	vécu
	ils/elles	vécurent	ils/elles	eurent	vécu

	Futur simple		Futur antérieur		
	je	vivrai	j'	aurai	vécu
	tu	vivras	tu	auras	vécu
	il/elle	vivra	il/elle	aura	vécu
	nous	vivrons	nous	aurons	vécu
	vous	vivrez	vous	aurez	vécu
	ils/elles	vivront	ils/elles	auront	vécu

CONDITIONNEL	Présent		Passé		
	je	vivrais	j'	aurais	vécu
	tu	vivrais	tu	aurais	vécu
	il/elle	vivrait	il/elle	aurait	vécu
	nous	vivrions	nous	aurions	vécu
	vous	vivriez	vous	auriez	vécu
	ils/elles	vivraient	ils/elles	auraient	vécu

SUBJONCTIF	Présent			Passé			
	que	je	vive	que	j'	aie	vécu
	que	tu	vives	que	tu	aies	vécu
	qu'	il/elle	vive	qu'	il/elle	ait	vécu
	que	nous	vivions	que	nous	ayons	vécu
	que	vous	viviez	que	vous	ayez	vécu
	qu'	ils/elles	vivent	qu'	ils/elles	aient	vécu

INFINITIF

Présent
vivre

Passé
avoir vécu

PARTICIPE

Présent
vivant

Passé
vécu
ayant vécu

IMPÉRATIF

Présent
vis
vivons
vivez

METTRE

INDICATIF

	Présent			**Passé composé**	
je	mets		j'	ai	mis
tu	mets		tu	as	mis
il/elle	met		il/elle	a	mis
nous	mettons		nous	avons	mis
vous	mettez		vous	avez	mis
ils/elles	mettent		ils/elles	ont	mis

	Imparfait			**Plus-que-parfait**	
je	mettais		j'	avais	mis
tu	mettais		tu	avais	mis
il/elle	mettait		il/elle	avait	mis
nous	mettions		nous	avions	mis
vous	mettiez		vous	aviez	mis
ils/elles	mettaient		ils/elles	avaient	mis

	Passé simple			**Passé antérieur**	
je	mis		j'	eus	mis
tu	mis		tu	eus	mis
il/elle	mit		il/elle	eut	mis
nous	mîmes		nous	eûmes	mis
vous	mîtes		vous	eûtes	mis
ils/elles	mirent		ils/elles	eurent	mis

	Futur simple			**Futur antérieur**	
je	mettrai		j'	aurai	mis
tu	mettras		tu	auras	mis
il/elle	mettra		il/elle	aura	mis
nous	mettrons		nous	aurons	mis
vous	mettrez		vous	aurez	mis
ils/elles	mettront		ils/elles	auront	mis

CONDITIONNEL

	Présent			**Passé**	
je	mettrais		j'	aurais	mis
tu	mettrais		tu	aurais	mis
il/elle	mettrait		il/elle	aurait	mis
nous	mettrions		nous	aurions	mis
vous	mettriez		vous	auriez	mis
ils/elles	mettraient		ils/elles	auraient	mis

SUBJONCTIF

		Présent				**Passé**	
que	je	mette		que	j'	aie	mis
que	tu	mettes		que	tu	aies	mis
qu'	il/elle	mette		qu'	il/elle	ait	mis
que	nous	mettions		que	nous	ayons	mis
que	vous	mettiez		que	vous	ayez	mis
qu'	ils/elles	mettent		qu'	ils/elles	aient	mis

INFINITIF

Présent
mettre

Passé
avoir mis

PARTICIPE

Présent
mettant

Passé
mis
ayant mis

IMPÉRATIF

Présent
mets
mettons
mettez

CONNAÎTRE

INDICATIF

Présent

je	connais
tu	connais
il/elle	connaît
nous	connaissons
vous	connaissez
ils/elles	connaissent

Passé composé

j'	ai	connu
tu	as	connu
il/elle	a	connu
nous	avons	connu
vous	avez	connu
ils/elles	ont	connu

Imparfait

je	connaissais
tu	connaissais
il/elle	connaissait
nous	connaissions
vous	connaissiez
ils/elles	connaissaient

Plus-que-parfait

j'	avais	connu
tu	avais	connu
il/elle	avait	connu
nous	avions	connu
vous	aviez	connu
ils/elles	avaient	connu

Passé simple

je	connus
tu	connus
il/elle	connut
nous	connûmes
vous	connûtes
ils/elles	connurent

Passé antérieur

j'	eus	connu
tu	eus	connu
il/elle	eut	connu
nous	eûmes	connu
vous	eûtes	connu
ils/elles	eurent	connu

Futur simple

je	connaîtrai
tu	connaîtras
il/elle	connaîtra
nous	connaîtrons
vous	connaîtrez
ils/elles	connaîtront

Futur antérieur

j'	aurai	connu
tu	auras	connu
il/elle	aura	connu
nous	aurons	connu
vous	aurez	connu
ils/elles	auront	connu

CONDITIONNEL

Présent

je	connaîtrais
tu	connaîtrais
il/elle	connaîtrait
nous	connaîtrions
vous	connaîtriez
ils/elles	connaîtraient

Passé

j'	aurais	connu
tu	aurais	connu
il/elle	aurait	connu
nous	aurions	connu
vous	auriez	connu
ils/elles	auraient	connu

SUBJONCTIF

Présent

que	je	connaisse
que	tu	connaisses
qu'	il/elle	connaisse
que	nous	connaissions
que	vous	connaissiez
qu'	ils/elles	connaissent

Passé

que	j'	aie	connu
que	tu	aies	connu
qu'	il/elle	ait	connu
que	nous	ayons	connu
que	vous	ayez	connu
qu'	ils/elles	aient	connu

INFINITIF

Présent
connaître

Passé
avoir connu

PARTICIPE

Présent
connaissant

Passé
connu
ayant connu

IMPÉRATIF

Présent
connais
connaissons
connaissez

VOIR

INDICATIF | **Présent**

je	vois
tu	vois
il/elle	voit
nous	voyons
vous	voyez
ils/elles	voient

Passé composé

j'	ai	vu
tu	as	vu
il/elle	a	vu
nous	avons	vu
vous	avez	vu
ils/elles	ont	vu

Imparfait

je	voyais
tu	voyais
il/elle	voyait
nous	voyions
vous	voyiez
ils/elles	voyaient

Plus-que-parfait

j'	avais	vu
tu	avais	vu
il/elle	avait	vu
nous	avions	vu
vous	aviez	vu
ils/elles	avaient	vu

Passé simple

je	vis
tu	vis
il/elle	vit
nous	vîmes
vous	vîtes
ils/elles	virent

Passé antérieur

j'	eus	vu
tu	eus	vu
il/elle	eut	vu
nous	eûmes	vu
vous	eûtes	vu
ils/elles	eurent	vu

Futur simple

je	verrai
tu	verras
il/elle	verra
nous	verrons
vous	verrez
ils/elles	verront

Futur antérieur

j'	aurai	vu
tu	auras	vu
il/elle	aura	vu
nous	aurons	vu
vous	aurez	vu
ils/elles	auront	vu

CONDITIONNEL | **Présent**

je	verrais
tu	verrais
il/elle	verrait
nous	verrions
vous	verriez
ils/elles	verraient

Passé

j'	aurais	vu
tu	aurais	vu
il/elle	aurait	vu
nous	aurions	vu
vous	auriez	vu
ils/elles	auraient	vu

SUBJONCTIF | **Présent**

que	je	voie
que	tu	voies
qu'	il/elle	voie
que	nous	voyions
que	vous	voyiez
qu'	ils/elles	voient

Passé

que	j'	aie	vu
que	tu	aies	vu
qu'	il/elle	ait	vu
que	nous	ayons	vu
que	vous	ayez	vu
qu'	ils/elles	aient	vu

INFINITIF

Présent
voir

Passé
avoir vu

PARTICIPE

Présent
voyant

Passé
vu
ayant vu

IMPÉRATIF

Présent
vois
voyons
voyez

RECEVOIR

INDICATIF

Présent

je	reçois
tu	reçois
il/elle	reçoit
nous	recevons
vous	recevez
ils/elles	reçoivent

Passé composé

j'	ai	reçu
tu	as	reçu
il/elle	a	reçu
nous	avons	reçu
vous	avez	reçu
ils/elles	ont	reçu

Imparfait

je	recevais
tu	recevais
il/elle	recevait
nous	recevions
vous	receviez
ils/elles	recevaient

Plus-que-parfait

j'	avais	reçu
tu	avais	reçu
il/elle	avait	reçu
nous	avions	reçu
vous	aviez	reçu
ils/elles	avaient	reçu

Passé simple

je	reçus
tu	reçus
il/elle	reçut
nous	reçûmes
vous	reçûtes
ils/elles	reçurent

Passé antérieur

j'	eus	reçu
tu	eus	reçu
il/elle	eut	reçu
nous	eûmes	reçu
vous	eûtes	reçu
ils/elles	eurent	reçu

Futur simple

je	recevrai
tu	recevras
il/elle	recevra
nous	recevrons
vous	recevrez
ils/elles	recevront

Futur antérieur

j'	aurai	reçu
tu	auras	reçu
il/elle	aura	reçu
nous	aurons	reçu
vous	aurez	reçu
ils/elles	auront	reçu

CONDITIONNEL

Présent

je	recevrais
tu	recevrais
il/elle	recevrait
nous	recevrions
vous	recevriez
ils/elles	recevraient

Passé

j'	aurais	reçu
tu	aurais	reçu
il/elle	aurait	reçu
nous	aurions	reçu
vous	auriez	reçu
ils/elles	auraient	reçu

SUBJONCTIF

Présent

que	je	reçoive
que	tu	reçoives
qu'	il/elle	reçoive
que	nous	recevions
que	vous	receviez
qu'	ils/elles	reçoivent

Passé

que	j'	aie	reçu
que	tu	aies	reçu
qu'	il/elle	ait	reçu
que	nous	ayons	reçu
que	vous	ayez	reçu
qu'	ils/elles	aient	reçu

INFINITIF

Présent
recevoir

Passé
avoir reçu

PARTICIPE

Présent
recevant

Passé
reçu
ayant reçu

IMPÉRATIF

Présent
reçois
recevons
recevez

INDEX 1 – Tous les verbes de l'ouvrage

Tous les verbes cités dans cet ouvrage sont répertoriés dans la colonne 1. À chaque verbe correspond un « verbe type » (colonne 2) qui est le modèle sur lequel ce verbe se conjugue. Pour savoir où apparaît la conjugaison des « verbes types » dans le livre, à tous les temps et à tous les modes, consultez l'index 2.
Les verbes signalés par * se conjuguent avec l'auxiliaire *être* aux temps composés.
Les verbes signalés par ** peuvent se conjuguer avec *être* ou *avoir* aux temps composés.

A

aboutir	FINIR
abstenir (s'*)	SOUVENIR (SE*)
accepter	PARLER
accourir	COURIR
accroître	CROÎTRE
accueillir	CUEILLIR
accuser	PARLER
acheter	Cf. Index 2
achever	LEVER
acquérir	Cf. Index 2
adapter (s'*)	PARLER
admettre	METTRE
adorer	PARLER
adresser	PARLER
agir	FINIR
aider	PARLER
aimer (s'*)	PARLER
aller*	Cf. Index 2
aller (s'en*)	Cf. Index 2
aménager	MANGER
amener	PROMENER
amuser (s'*)	PARLER
apercevoir (s'*)	Cf. Index 2
apparaître**	CONNAÎTRE
appartenir	TENIR
appeler(s'*)	Cf. Index 2
applaudir	FINIR
apporter	PARLER
apprécier	OUBLIER
apprendre	PRENDRE
appuyer (s'*)x	ENNUYER (S')
arracher	PARLER
arrêter (s'*)	PARLER
arriver*	Cf. Index 2
assagir(s'*)	ENRICHIR (S'*)
asseoir (s'*)	Cf. Index 2
assister	PARLER
assombrir (s'*)	ENRICHIR (S'*)
atteindre	PEINDRE
attendre	Cf. Index 2
atterrir	FINIR
avancer	COMMENCER
avoir	Cf. Index 2
avouer	JOUER

B

baigner (se*)	GAGNER
baisser	PARLER
balancer (se*)	COMMENCER
balayer	PAYER
battre (se*)	Cf. Index 2

bavarder	PARLER
blanchir	FINIR
blottir (se*)	ENRICHIR (S'*)
boire	Cf. Index 2
boucler	PARLER
bouillir	Cf. p. 28
briller	TRAVAILLER
brosser (se*)	PARLER

C

casser (se*)	PARLER
célébrer	ESPÉRER
changer	MANGER
chanter	PARLER
chercher	PARLER
choisir	FINIR
combattre	BATTRE
commencer	Cf. Index 2
complaire (se*)	TAIRE (SE*)
compléter	ESPÉRER
composer	PARLER
comprendre	PRENDRE
compromettre	METTRE
concevoir	RECEVOIR
conclure	Cf. Index 2
concourir	COURIR
conduire	Cf. Index 2
confondre	RÉPONDRE
congeler	Cf. Index 2
connaître	Cf. Index 2
conquérir	ACQUÉRIR
consentir	PARTIR
considérer	ESPÉRER
consommer	PARLER
construire	CONDUIRE
contacter	PARLER
contempler	PARLER
contenir	TENIR
continuer	Cf. Index 2
contraindre	PLAINDRE
contredire	DIRE
convaincre	Cf. Index 2
convenir*	VENIR*
correspondre	RÉPONDRE
corrompre	INTERROMPRE
coucher (se*)	PARLER
coudre	Cf. Index 2
couper	PARLER
courir	Cf. Index 2
couvrir	OUVRIR
craindre	PLAINDRE
créer	Cf. Index 2

crier	OUBLIER
croire	Cf. Index 2
croître	Cf. Index 2
cueillir	Cf. Index 2
cuire	CONDUIRE
cuisiner	PARLER

D

danser	PARLER
débattre	BATTRE
décéder*	ESPÉRER
décevoir	RECEVOIR
décider	PARLER
décorer	PARLER
découdre	COUDRE
découvrir	OUVRIR
décrire	ÉCRIRE
décroître	CROÎTRE
déduire	CONDUIRE
défaire	FAIRE
définir	FINIR
dégeler	CONGELER
déguiser (se*)	PARLER
déjeuner	PARLER
demander	PARLER
démentir	PARTIR*
dépêcher (se*)	Cf. Index 2
dépeindre	PEINDRE
dépendre	ATTENDRE
dépenser	PARLER
déplacer	COMMENCER
déplaire	PLAIRE
descendre**	ATTENDRE
desservir	SERVIR
dessiner	PARLER
détendre	ATTENDRE
détenir	TENIR
détruire	CONDUIRE
devenir*	VENIR*
devoir	Cf. Index 2
digérer	ESPÉRER
dîner	PARLER
dire	Cf. Index 2
discuter	PARLER
disparaître	CONNAÎTRE
dissoudre	RÉSOUDRE
distraire (se)*	Cf. Index 2
distribuer	CONTINUER
divorcer	COMMENCER
donner	PARLER
dormir	Cf. Index 2
durcir	FINIR

INDEX – 2 Les verbes types

Les chiffres correspondent aux pages où apparaissent les conjugaisons de ces verbes.
Si un verbe est conjugué à la forme pronominale et non pronominale, la forme pronominale est indiquée en italique au passé composé de l'indicatif.

| | INDICATIF | | | | | | | | IMP | COND | | SUBJONCTIF | | PART |
	PRÉSENT	IMPARFAIT	PASSÉ COMPOSÉ	PLUS-QUE-PARFAIT	FUTUR	FUTUR ANTÉRIEUR	PASSÉ SIMPLE	PASSÉ ANTÉRIEUR	PRÉSENT	PRÉSENT	PASSÉ	PRÉSENT	PASSÉ	PRÉSENT
fuir	28	52	62	82	96	104	114	122	134	144	152	164	174	182
gagner	18	50	60	80	92	102	112	120	132	140	150	162	172	184
haïr	24	52	62	82	96	104	114	122	134	144	152	164	174	184
inscrire (s')	30	54	64 78	84	98	106	116	124	134	146	154	166	176	184
interrompre	40	56	70	84	98	106	116	124	134	146	154	168	176	184
jeter	20	50	60	80	92	102	112	120	132	140	150	162	172	182
jouer	18	50	60	80	92	102	112	120	132	140	150	162	172	182
lever (se)	22	50	60 78	80	94	102	112	120	132	142	150	162	172	182
lire	30	54	64	84	98	106	116	124	134	146	154	166	176	184
manger	20	50	60	80	92	102	112	120	132	140	150	162	172	182
mettre	38	56	70	84	98	106	116	124	134	146	154	168	176	184
mourir	28	52	76	82	96	104	114	122	134	144	152	164	174	184
naître	38	56	74	84	98	106	116	124	134	146	154	168	176	184
oublier	18	50	60	80	92	102	112	120	132	140	150	162	172	182
ouvrir	26	52	62	82	96	104	114	122	134	144	152	164	174	184
parler	16	50	60	80	92	102	112	120	132	140	150	162	172	182
partir	26	52	74	82	96	104	114	122	134	144	152	164	174	184
payer	20	50	60	80	92	102	112	120	132	140	150	162	172	182
peindre	32	54	66	84	98	106	116	124	134	146	154	166	176	184
perdre (se)	32	54	66 78	84	98	106	116	124	134	146	154	166	176	184
peser	22	50	60	80	94	102	112	120	132	142	150	162	172	182
plaindre (se)	32	54	66 78	84	98	106	116	124	134	146	150	166	176	184
plaire	36	56	68	84	98	106	116	124	134	144	154	168	176	184
pleuvoir	42	58	72	86	100	108	118	126	–	148	156	170	178	184
pouvoir	14	48	72	86	90	108	110	126	–	138	156	158	178	182
prendre	34	54	66	84	98	106	116	124	134	146	154	166	176	184
promener (se)	22	50	60 78	80	94	102	112	120	132	142	150	162	172	182
recevoir	44	58	72	86	100	108	118	126	134	148	156	170	178	184
rejoindre	32	54	66	84	98	106	116	124	134	146	154	166	176	184
répondre	32	54	66	84	98	106	116	124	134	146	154	166	176	184
résoudre	34	54	66	84	98	106	116	124	134	146	154	166	176	184
rire	30	54	64	84	98	106	116	124	134	146	154	166	176	184
savoir	14	48	72	86	90	108	110	126	132	138	156	158	178	182
semer	22	50	60	80	94	102	112	120	132	142	150	162	172	182
servir (se)	26	52	62 78	82	96	104	114	122	134	144	152	164	174	184
souvenir (se)	28	52	78	82	96	104	114	122	134	144	152	164	174	184
suivre	40	56	70	84	98	106	116	124	134	146	154	168	176	184
taire (se)	36	56	78	84	98	106	116	124	134	146	154	168	176	184
tenir	28	52	62	82	96	104	114	122	134	144	152	164	174	184
travailler	18	50	60	80	92	102	112	120	132	140	150	162	172	182
valoir	42	58	72	86	100	108	118	126	–	148	156	170	178	184
venir	12	46	76	80	88	102	110	120	134	136	150	160	172	182
vivre	40	56	70	84	98	106	116	124	134	146	154	168	176	184
voir	42	58	72	86	100	108	118	126	134	148	156	170	178	184
vouloir	14	48	72	86	90	108	110	126	132	138	156	160	178	182

N° de projet 10124560 – Mai 2005
Imprimé en France
Flashage CTP et impression par
MAME Imprimeurs à Tours
N° 05042138